HITLER GANÓ LA GUERRA

Diseño de tapa: María L. de Chimondeguy / Isabel Rodrigué

WALTER GRAZIANO

HITLER GANÓ LA GUERRA

EDITORIAL SUDAMERICANA
BUENOS AIRES

Graziano, Walter
  Hitler ganó la guerra. - 3ª ed. – Buenos Aires : Sudamericana, 2004.
  240 p. ; 23x16 cm.

  ISBN 950-07-2477-4

  1. Investigación Periodística. I. Título
  CDD. 070.44

PRIMERA EDICION
Marzo de 2004

TERCERA EDICION
Abril de 2004

IMPRESO EN LA ARGENTINA

*Queda hecho el depósito
que previene la ley 11.723.*
© 2004, *Editorial Sudamericana S.A.®*
Humberto I 531, Buenos Aires.

www.edsudamericana.com.ar

ISBN 950-07-2477-4

A quienes se despierten

*No importa que nos odien, siempre que
en la misma medida nos teman.*

CALÍGULA

Prólogo

A penas comencé a realizar las investigaciones preliminares para escribir este libro, caí en la cuenta de que la vastedad del tema me imponía la necesidad de encontrar colaboradores. Por lo tanto, decidí contratar a estudiantes y graduados en disciplinas humanísticas.

Una de las primeras personas que acudieron a las entrevistas de trabajo era una licenciada en historia, recién graduada, con excelentes calificaciones. A través del diálogo inicial, pude entrever la sólida formación histórica y cultural que poseía para este trabajo. Se trataba además de una persona con otras cualidades: inteligencia y sagacidad.

Resolví, entonces, tomarle la real prueba de fuego. Le acerqué una información de las muchas que el lector va a encontrar en este libro. La recién graduada comenzó a leerla en silencio. Mientras tanto, yo la observaba, y veía cómo se iba sonrojando y los ojos se le entornaban, no sé si de furia o de incredulidad. Cuando terminó la lectura del texto me miró. Con voz entrecortada, y un poco mareada, defendió lo que hace instantes consideraba un saber poco menos que inexpugnable: "La historia no debe escribirse hasta mucho tiempo después de que ocurran los acontecimientos", dijo con el tono de una lección aprendida de memoria.

Opté entonces por acercarle más información, más abundante en datos. Esta vez se puso lívida. Ensayó una respuesta menos estructurada, pero aún se defendía de lo que bien podía

11

considerar tan horroroso como incongruente con respecto a lo que le habían enseñado años y años. Ante tal tibia defensa, opté por presentarle más material. Se rindió, y sólo dijo: "Si eso es verdad, ya no sé qué pensar".

Le expliqué, entonces, que el concepto de que era necesario dejar pasar bastante tiempo antes de escribir la historia era aplicable a la época en que la tecnología hacía imposible escribirla con buena dosis de rapidez y exactitud. Obviamente Heródoto debió tardar mucho tiempo en juntar el material para su obra. No es de esperar que Suetonio tuviera al alcance de la mano la información para escribir la vida de doce césares. Pero ya en nuestros días algo había comenzado a cambiar: Arnold Toynbee y Paul Johnson estaban escribiendo historia (posiblemente muy sesgada, pero una versión de la historia, al fin) en forma casi simultánea con los propios sucesos. Es comprensible: los medios de comunicación y el rápido acceso al tipo de información que ellos brindan lo hacen posible.

Con el rápido desarrollo de la red global, quizás en poco tiempo más surjan los primeros historiadores que puedan escribir la historia en forma simultánea a la propia sucesión de hechos considerados como históricos. Y hasta incluso sería posible que aparezcan los primeros futurólogos realmente serios. A través de la red se puede acceder con escaso costo y sin demora a cualquier tipo de información, de toda índole, que cualquier individuo del mundo haya deseado conseguir. Sea verdadera o falsa, se trata de información sin ningún tipo de censura directa ni indirecta. Esta última es peor aún que la primera ya que pasa inadvertida y es ejercida por las líneas editoriales y estrategias de los megamedios de comunicación.

La red no sólo ha posibilitado el libre acceso a la información. También permite comprar a distancia cualquier libro editado en cualquier lugar del mundo, nuevo o usado, y tenerlo en casa en menos de una semana, sin innecesarias demoras en preguntas por ediciones agotadas en librerías físicamente lejanas entre sí. También permite el acceso a variados resúmenes de textos, de todas las tendencias, e incluso a comentarios de lectores anteriores, los que en buena medida pueden ayudar a ganar tiempo. Como siempre me gusta repetir: el tiempo es un bien aún mucho más escaso que el dinero. El dinero puede ir y venir. El tiempo, en cambio, sólo va...

Gracias a la red, ya están apareciendo los primeros historiadores *on-line*. Y si bien mucha de la información que aparece en la red puede ser falsa o inexacta, con frecuencia lo es menos que la que se ha publicado en muchísimos libros, o que la que aparece a diario en los megamedios de comunicación. La ventaja que nos ofrece la red, sea porque nos brinda información directamente, sea porque nos permite un rápido acceso para ubicar y comprar en sólo segundos libros que nos podría costar años conseguir, es la posibilidad de escribir sobre el presente, y conocerlo, con incontables elementos adicionales de información.

Es posible que esto provoque muy beneficiosos efectos en poco tiempo más. Es probable que las poblaciones de muchos países se enteren mucho antes, mientras están en condiciones de hacer algo al respecto, de tretas de engaño colectivo, psicópatas en los más altos cargos del poder, ambiciosos planes de dominio global, etcétera.

Este libro no se hubiera podido escribir hace cincuenta años. Ni siquiera hace diez. La muchacha graduada en historia arriba mencionada habría tenido, en ese caso, razón. Pero hoy las cosas han cambiado. Tenemos acceso a infinitos elementos más de información. Si no los usáramos por prejuicios o frases hechas al estilo de que "la historia necesita mucho tiempo para escribirse" le estaríamos haciendo el juego a los personajes más oscuros: los que desean que la realidad se escriba de la manera que más les conviene. Muchas veces se trata precisamente de los personajes con más recursos para intentar "borrar" de la memoria colectiva informaciones que pueden llegar a comprometerlos. Ésta es una muy vieja costumbre utilizada por tiranos en todas las épocas. Se cuenta que los más sanguinarios emperadores romanos tenían historiadores oficiales. Éstos escribían loas a atroces emperadores y a su acción de gobierno. Sólo muchas décadas más tarde, cuando ya todos los protagonistas estaban muertos, Tácito y Suetonio pudieron poner las cosas en su lugar y colocar a personajes como Tiberio, Calígula y Nerón en el lugar que se merecían: en el panteón de los más siniestros y perversos emperadores que se recuerden. Sin embargo, muchos de los ciudadanos romanos contemporáneos de ellos murieron sin saber cuántos de sus males, miserias y hasta sus propias muertes diarias se debían a los propios emperadores y su sistema de censura y manipulación de la prensa y la historia. En el propio Imperio Romano se tardó más de sesenta años para que se conocieran acabadamente quiénes habían sido esos tres emperadores.

Que lo mismo no ocurra con nosotros. Gracias a la red, ello ahora es posible. Pero que nos libremos de los problemas depende de nosotros, de una participación activa. En las próximas páginas comenzará a quedar claro por qué.

1. NASH: LA PUNTA DEL OVILLO

————————————◆————————————

La guerra es la paz. La libertad es la esclavitud.
La ignorancia es la fuerza.

George Orwell. *Teoría y práctica del colectivismo oligárquico.*
Capítulo 9. Parte 2. 1984.

¿Quién no cree, sin casi ningún cuestionamiento, el viejo refrán que asevera que "la historia la escriben los vencedores"? Más aún, se suele repetir esa frase una y otra vez. Sin embargo, en pocas ocasiones se tiene una exacta idea de hasta qué niveles de profundidad esto puede llegar a ser verdad. Existe otra frase famosa, que también forma parte del refranero popular. Vale la pena poner ambas en juego dialéctico. Se trata de aquel viejo dicho que asegura que "la realidad supera a la ficción". Si estamos de acuerdo en que ambas aseveraciones generalmente son correctas, no cabe más remedio que comenzar a pensar que la historia —por más doloroso o no que esto pueda resultar— es sólo lo que se habría deseado que hubiera ocurrido. O sea, algo alejado de lo que realmente sucedió. Más aún, es sólo lo que habrían deseado que hubiera acontecido quienes la escribieron, o la escriben, mediante la distorsión de hechos ocurridos en la realidad. Muchas veces les resulta necesario a los vencedores interpretar de forma cambiada los hechos, silenciar espinosas cuestiones ocurridas o, incluso, generar de la nada la historia. Precisamente por eso bien se puede pensar, siguiendo hasta sus últimas consecuencias el juego dialéctico de esas dos verdades populares, que si algo no está escrito en los medios masivos de comunicación o en abundante bibliografía, y no forma parte del "saber mayoritario", entonces no ocurrió, no pasó, no es verdad. La versión de un suceso divulgada por los medios masivos de comunicación es precisamente lo que se conoce como historia.

Empecé recién a tener una cabal idea de todo esto a raíz de un hecho trivial, casual, cotidiano, como fue haber ido al cine a ver una película. El film en cuestión no era otro que *Una mente brillante*, la obra protagonizada por Russell Crowe, que ganó el Oscar a la mejor película del año 2001, en marzo de 2002. En realidad, se trata de un doble galardón porque la historia narra la vida del matemático John Nash, quien en 1994 obtuvo el Premio Nobel de Economía por sus descubrimientos acerca de la denominada "Teoría de los Juegos".

Si bien la película tenía características altamente emotivas, debido a la mezcla de realidad y fantasía que el guión mostraba acerca de la vida de Nash, un detalle del mismo no podía pasar inadvertido para quienes ejercemos la profesión de economistas. Se trata sólo de un detalle, de un instante, de apenas un momento del film en el que el protagonista asevera que descubrió, literalmente, que Adam Smith —el padre de la economía— no tenía razón, cuando en el año 1776 en su obra *La riqueza de las naciones* esbozó su tesis principal —y base fundamental de toda la teoría económica moderna— de que el máximo nivel de bienestar social se genera cuando cada individuo, en forma egoísta, persigue su bienestar individual, y nada más que ello. En la escena siguiente de la película, el decano de la Universidad de Princeton, Mr. Herlinger, mira azorado los desarrollos matemáticos mediante los cuales Nash expone ese razonamiento acerca de Adam Smith y declara que, con ellos, más de un siglo y medio de teoría económica se desvanecía.

Como economista me debía hacer una pregunta: ¿se trataba de una verdad o de una alocada idea del guionista del film? Me puse a investigar, y lo bueno del caso es que se trataba... de una verdad. Ahora bien, lo que llama muy poderosamente la atención es que estas expresiones vertidas en la película hayan pasado inadvertidas para miles y miles de economistas. Que el público corriente, que no pasó años enteros estudiando economía, escuche que alguien descubrió que Adam Smith no tenía razón en su tesis acerca de la panacea que significaba el individualismo para cualquier tipo de sociedad, puede no llamar la atención, puede parecer hasta trivial. Pero a un economista no se le puede escapar, si está en una posición realmente científica, la real dimensión de lo que significaría la demolición del individualismo y de la libre competencia como base central de la teoría económica.

Es necesario remarcar que Nash descubre que una sociedad maximiza su nivel de bienestar cuando cada uno de sus individuos acciona en favor de su propio bienestar, pero sin perder de vista también el de los demás integrantes del grupo. Demuestra cómo un comportamiento puramente individualista puede producir en una sociedad una especie de "ley de la selva" en la que todos los miembros terminan obteniendo menor bienestar del que podrían. Con estas premisas, Nash profundiza los descubrimientos de la Teoría de los Juegos, descubierta en la década del 30 por Von Neumann y Morgestern, generando la posibilidad de mercados con múltiples niveles de equilibrio según la actitud que tengan los diferentes jugadores, según haya o no una autoridad externa al juego, según sea el juego cooperativo o no cooperativo entre los diferentes jugadores. De esta manera, Nash ayuda a generar todo un aparato teórico que describe la realidad en forma más acertada que la teoría económica clásica, y que tiene usos múltiples en economía, política, diplomacia y geopolítica, a punto tal que puede explicar e incluir el más sangriento de todos los juegos: la guerra.

Todo esto puede parecer difícil de entender. Pero no lo es. En el fondo, si se lo piensa bien, los descubrimientos de Nash implican una verdad de Perogrullo. Por ejemplo, tomemos el caso del fútbol. Supongamos un equipo en el que todos sus jugadores intentan brillar con luz propia, jugar de delanteros y hacer el gol. Más que compañeros, serán rivales entre sí. Un equipo de esas características será presa fácil de cualquier otro que aplique una mínima estrategia lógica: que los once integrantes se ayuden entre sí para vencer al rival. ¿Cuál cree el lector que será el equipo ganador? Aun cuando el primer equipo tenga las mejores individualidades, es probable que naufrague y que, incluso hasta individualmente, los miembros del segundo equipo luzcan mejor. Esto, ni más ni menos, es lo que Nash descubre, en contraposición a Adam Smith, que sugeriría que cada jugador "haga la suya".

A pesar de que se trata de un concepto muy básico, entonces, prácticamente nada de la Teoría de los Juegos se enseña en general a los economistas, casi nada hay escrito en otro idioma que no sea el inglés y, obviamente, lo escaso que se enseña en carreras de grado y posgrado se hace sin formular la aclaración previa de que al trabajar con la Teoría de los Juegos se usa un herramental más sofisticado y aproximado a la realidad que con la teoría económica clásica. A punto tal llega esta distorsión (dudaba ya en un principio si se trataba de una manipulación) que se silencia que la gran teoría de Smith queda en realidad anulada por la falsedad de su hipótesis basal, cosa demostrada por Nash.

En la carrera de economía, en la Argentina y en una vasta cantidad de países, tanto en universidades privadas como en las públicas, se sigue enseñando desde el primer día hasta el último que Adam Smith no sólo es el padre de la economía, sino que además estaba en lo correcto con su hipótesis acerca del individualismo. Los argumentos que se utilizan para explicar que supuestamente tenía razón se basan generalmente en desarrollos teóricos anteriores al descubrimiento de Nash y en cierta evidencia empírica percibida no sin una alta dosis de arbitrariedad. De ello resulta que se contamina a la teoría económica —que debería constituir una ciencia— con una visión ideológica, lo que instituye en ella todo lo contrario de lo que debería ser una ciencia. Muchos de los profesores que día a día enseñan economía a sus alumnos ni siquiera han sido informados de que hace más de medio siglo alguien descubrió que el individualismo, lejos de conducir al mejor bienestar de una sociedad, puede producir un grado menor, y muchas veces muy apreciablemente menor, de bienestar general e individual que el que se podría conseguir por otros métodos de ayuda mutua.

¿Cómo puede explicarse esto, entonces? ¿Cómo es que nos

venimos a enterar, a través de una película, de que el presupuesto básico, fundamental, de la ciencia económica es una hipótesis incorrecta? Peor aún, los descubrimientos de Nash fueron efectuados a principios de la década del 50, hace ya más de medio siglo, y fueron hechos nada menos que en Princeton, no en algún alejado lugar del planeta, sin conexiones académicas con el resto de los economistas, los profesores y los profesionales de la economía y las finanzas, factores que deben aumentar el grado de sorpresa.

¿Cuál es el papel que podríamos esperar que desarrollen las mentes más brillantes de una ciencia, si de repente alguien descubre matemáticamente que el propio basamento fundamental de esa ciencia es incorrecto? Podría presuponerse que en tal caso todos tendrían que frenar los desarrollos de las teorías que vienen sosteniendo o generando, y las ideas sobre las cuales están trabajando, para ponerse a repensar las bases fundamentales de la teoría, admitiendo que en realidad se sabe mucho menos de lo que creía saberse hasta la aparición del descubrimiento. Se comenzaría así a trabajar para dotar de nuevas bases y fundamentos a la ciencia cuya premisa fundamental acaba de desvanecerse. Ésta sería la lógica, sobre todo si se tiene en cuenta que, en lo relativo a la economía, las conclusiones de una teoría, y los consejos que a raíz de ella puedan dar los economistas, y las medidas que finalmente encaran los gobiernos y las empresas de hecho alteran la riqueza, el trabajo y la vida diaria de millones y millones de personas. Los efectos sobre la humanidad pueden ser mayores que en otras ciencias. Cuando se hacen recomendaciones económicas, se está tocando directa o indirectamente el destino de millones de personas, lo que debería imponer el cuidado y la prudencia, no sólo en quienes elaboran las políticas económicas sino también en quienes opinan y aconsejan.

Por lo tanto, el descubrimiento de Nash acerca de la falsedad de la teoría de Adam Smith debería haber puesto en estado de alerta y en emergencia a la comunidad de los economistas en el planeta entero. Ello, por supuesto, no ocurrió, en buena medida debido a que sólo un reducido núcleo de profesionales de la economía se enteró a inicios de los años '50 de la verdadera profundidad de los descubrimientos de Nash.

Puede pensarse, entonces, que un saludable revisionismo sería una verdadera actitud científica frente a lo acontecido. Sin embargo, nada de esto ocurrió ni ocurre en la economía. Los economistas, no sólo en carreras de grado, sino también en las de posgrado, tanto en Argentina como en el exterior, no reciben información alguna acerca de que la base fundamental de la economía es una hipótesis demostrada incorrecta, nada menos que desde las propias matemáticas. Además de carecer de información alguna en ese sentido, se les enseña enormes dosis de teorías y modelos económicos desarrollados desde la década del 50, precisamente cuando ya esa incorrección se conocía en pequeños e influyentes núcleos académicos, los que no sólo entronizan la premisa básica del individualismo *smithsoniano*, sino que intentan universalizar para todo momento del tiempo y del espacio los desarrollos económicos clásicos y neoclásicos iniciados por el propio Smith.

Quien crea que esto no tiene consecuencias se equivoca gravemente. Habría que preguntarse, por ejemplo, si la propia globalización hubiera sido posible, en su actual dimensión, en el caso de que los descubrimientos de Nash hubieran tenido la repercusión que merecían, si los medios de comunicación los hubieran difundido y si muchos de los economistas considerados más prestigiosos del mundo, muchas veces financiados por universidades norteamericanas que deben su existencia a grandes empresas del sector privado, no los hubieran dejado "olvidados" en el *closet*. Si hubiera habido en su debido momento un revisionismo a fondo a partir de los descubrimientos de Nash, quizás hoy tendríamos Estados nacionales mucho más fuertes, reguladores y poderosos de lo que, tras una década de globalización, resultan.

Un punto central que se debe tener en cuenta, que asocié a poco de comenzar a investigar el tema, es que, en forma prácticamente simultánea a los descubrimientos de Nash, dos economistas, Lipsey y Lancaster, descubrieron el denominado "Teorema del Segundo Mejor". Este descubrimiento enuncia que si una economía, debido a las restricciones propias que ocurren en el mundo real, no puede funcionar en el punto óptimo de plena libertad y competencia perfecta para todos sus actores, entonces no se sabe *a priori* qué nivel de regulaciones e intervenciones estatales necesitará ese país para funcionar lo mejor posible. En otras palabras, lo que Lipsey y Lancaster descubrieron es que es posible que un país funcione mejor con una mayor cantidad de restricciones e interferencias estatales, que sin ellas. O sea que bien podría ser necesaria una muy intensa actividad estatal en la economía para que todo funcione mejor. Lo que se pensaba hasta ese momento era que si el óptimo era inalcanzable porque el "mundo real" no es igual al frío mundo de la teoría, entonces el punto inmediato mejor para un país era el de la menor cantidad de restricciones posibles al funcionamiento de plena libertad económica. Pues bien, Lipsey y Lancaster derrumbaron hace más de medio siglo ese preconcepto. Como consecuencia directa de ello, reaparecen en el centro de la escena temas como aranceles a la importación de bienes, subsidios a la exportación y a determinados sectores sociales, impuestos diferenciales, restricciones al movimiento de capitales, regulaciones financieras, etcétera.

Al igual que lo ocurrido con la Teoría de los Juegos, el Teorema del Segundo Mejor apenas se explica a los economistas en universidades públicas y privadas. Aun cuando sus implicancias son enormes, generalmente se lo da por sabido en sólo una clase, en apenas una media hora, y se pasa a otro tema. Resulta casi una "rareza" exótica insertada en los programas de estudio, una curiosidad a la que no se le suele dar demasiada importancia. Craso error.

Un caso típico es el de la ex Unión Soviética. Gorbachov en su momento decidió desregular, privatizar y abrir la economía eliminando rápidamente la mayor cantidad de barreras posibles a la libre competencia. No le fue bien. Lejos de progresar rápidamente, la economía rusa cayó en una de las peores crisis de su historia. Si se hubieran aplicado los postulados de Lipsey y Lancaster, se habría tenido más cautela y muy probablemente las cosas no habrían salido tan mal.

Si combináramos los descubrimientos de Nash, Lipsey y Lancaster, lo que obtendríamos es que no puede establecerse a ciencia cierta, y de antemano, qué resulta mejor para un determinado país, sino que ello dependerá de una gran cantidad de variables. Por lo tanto, toda universalización de recomendaciones económicas es incorrecta. No se puede dar el mismo consejo económico (por ejemplo, privatizar o desregular o eliminar el déficit fiscal) para todo país y en todo momento. Sin embargo, esto es lo que precisamente se ha venido haciendo cada vez con más intensidad, sobre todo desde los años '90, cuando, al ritmo de la globalización, se han encontrado recetas que se han enseñado como universales, como verdades reveladas, que todo país debe siempre aplicar.

Puede resultar extraño, pero probablemente no lo sea: un descubrimiento fundamental que hubiera cambiado la historia de la teoría económica, y hasta hubiera dificultado la aparición de la globalización, no tuvo prácticamente difusión alguna más que en un muy reducido núcleo de economistas académicos residentes en Estados Unidos, por lo que se impuso la ideología falsa con la que muchos gobiernos, en muchos casos sin saberlo, toman decisiones económicas. Mientras estas teorías no recibían el grado de atención adecuada por la profesión de los economistas, por los diseñadores de políticas gubernamentales y por la población en general, empezaron a cobrar, en aquel mismo momento, a partir de los años '50 y '60, una gran difusión en los medios de comunicación las teorías desarrolladas en la Universidad de Chicago. Nada menos que la misma casa de estudios que había albergado en su sede al italiano Enrico Fermi con el fin de que desarrollara la bomba atómica financió en materia económica a Milton Friedman, también premio Nobel en Economía, quien comienza a desarrollar en los mismos años '50 la denominada "Escuela Monetarista". Luego de más de una década de estudios, Friedman y sus seguidores llegan a la conclusión de que la actividad del Estado en la economía debe reducirse a una sola premisa básica: emitir dinero al mismo ritmo en que la economía está creciendo. O sea, si un determinado país naturalmente crece al 5% anual, para Friedman, su Banco Central debe emitir moneda a ese mismo ritmo. Si, en cambio, crece naturalmente al 1% anual, debe emitir moneda sólo al 1% anual. La lógica intrínseca de este razonamiento es que el dinero sirve como lubricante de la economía real. Por lo tanto, si una economía en forma natural crece muy rápidamente, necesita que el Banco Central de dicho país genere más medios de pago que si está estancada. En el fondo, la recomendación de Milton Friedman es que cada país mantenga una relación constante entre cantidad de dinero y PBI. Toda otra política económica estatal es desaconsejada por Friedman.

La Escuela Monetarista tuvo un enorme grado de difusión en todo el mundo, aun cuando los bancos centrales de los principales países desarrollados jamás aplicaron los consejos de Friedman, con la sola excepción de Margaret Thatcher, que, tras un breve período de aplicación de unos cuantos meses de las políticas monetaristas en Inglaterra, necesitó ganar una guerra (la de Malvinas) para recuperar la popularidad perdida por los desastrosos resultados de ella, que habían elevado el desempleo en Inglaterra a niveles pocas veces vistos —nada menos que el 14%—, sin siquiera acabar por ello con la inflación. Fue el único y muy breve caso de aplicación de las recetas de esta escuela en países desarrollados. Sin embargo, las presiones para que naciones en vías de desarrollo como la Argentina apliquen estas políticas siempre han sido muy fuertes.

Cabe aclarar que hay generalmente dos clases de personas para las cuales las fórmulas de Friedman han resultado de una atracción poco menos que irresistible: se trata de teóricos en economía en primer lugar, y en segundo, grandes empresarios. Pero ambos, por motivos bien diferentes. Para muchos economistas teóricos, la atracción que producían las teorías de Friedman provenían de la sencillez de su recomendación: "Emita moneda al ritmo que usted crece". Además, el carácter universal de esta premisa básica acercaba, en la mente un tanto "distorsionada" de muchos profesionales en la materia, la economía a las ciencias duras: a la física y a la química, objetivo que muchos de los economistas más renombrados del siglo XX han perseguido, en la creencia de que una ciencia es más seria si logra encontrar fórmulas de aplicación universal al estilo de lo que la ley de gravedad es en la física.

Milton Friedman parecía proporcionar precisamente eso: una ley de aplicación universal al campo económico. Bien podríamos discutir si esta quimera, perseguida por muchos economistas, no es en el fondo nada más que un peligroso reduccionismo, dado que las ciencias sociales no se mueven con los mismos parámetros que las ciencias exactas.

Pero no todos quienes fueron atraídos por las teorías de Friedman lo hacían por esos motivos: una buena parte del *establishment* veía en la generación y en la aplicación de este tipo de teorías la posibilidad de derrumbar un gran número de trabas y regulaciones estatales en muchos países, pudiendo así ensanchar su base de negocios a zonas del planeta que permanecían ajenas a su actividad. Esto explica el alto perfil que alcanzaron las teorías monetaristas, a pesar de estar fundadas en los incorrectos supuestos de Adam Smith antes mencionados, y su presencia constante en los medios de comunicación, muchas veces propiedad de ese mismo *establishment*.

El hecho de que el *establishment* de los países desarrollados hiciera enormes loas a esas teorías, pero los gobiernos de esos mismos países desarrollados no aplicaran para sí las teorías monetaristas, no fue un obstáculo para que muchos de los más poderosos empresarios presionaran a gobernantes de países periféricos para que aplicaran las tesis de Milton Friedman. Un típico caso de ello fue el de la Argentina de la época de Martínez de Hoz, cuyo gobierno aceptó las presiones de buena parte del empresariado financiero internacional para producir la política económica de la era militar de Videla-Martínez de Hoz[1].

[1] En viajes a la Argentina, y en traslados a EE.UU. de Martínez de Hoz, David Rockefeller le habría impartido órdenes en forma personal de los lineamientos básicos que la economía argentina debía observar. Se trata del mismo personaje que felicitó al ex presidente De la Rúa por el nombramiento de Domingo Cavallo en el Ministerio de Economía en 2001, expresando a la prensa su beneplácito con la frase: "Cavallo sabe que hay que ajustarse el cinturón".

Mientras los descubrimientos de Nash, Lipsey y Lancaster permanecían ocultos para el gran público y apenas diseminados entre los propios profesionales en economía, teorías íntegramente basadas en los supuestos básicos de Adam Smith, y que Nash demostró que se hallaban equivocadas, como la monetarista de Milton Friedman, no sólo recibían una enorme difusión en los medios de comunicación, sino que además contaban con el beneplácito del *establishment*, y comenzaban a hacer estragos en países tomados como laboratorios, todo ello a pesar de que al basarse íntegramente en los presupuestos de Smith, de antemano los principales académicos de EE.UU. no podían desconocer que se trataba de teorías económicas fundadas en supuestos incorrectos, por lo que sus chances iniciales de éxito eran casi nulas.

Desde los años '60 hasta la fecha, la Escuela Monetarista y su hija directa, la Escuela de Expectativas Racionales, de Robert Lucas, han ocupado el centro de la escena en universidades, centros de estudio y medios de comunicación. La Escuela de Expectativas Racionales reduce aún más el papel para el Estado de lo que ya lo había hecho la Escuela Monetarista. Un país, según Lucas, no debe hacer nada más allá de cerrar su presupuesto sin déficit. Si el desempleo es de dos dígitos, no debe hacer nada. Si la gente literalmente se muere de hambre, no debe hacer nada. Un buen ministro —para esa escuela— debe dejar en "piloto automático" a la economía de un país, y sólo debe preocuparse de que el gasto público esté íntegramente financiado con recaudación de impuestos.

Robert Lucas, de profesión ingeniero, también en la Universidad de Chicago, tras una década de abstrusos cálculos matemáticos, basados íntegramente en la hipótesis fundamental de Adam Smith, llega a la conclusión de que cualquier país, en cualquier momento del tiempo, ni siquiera debe emitir dinero al mismo ritmo que crece. De esta manera, hasta la regla de oro de Milton Friedman es abolida por esta escuela cuyo auge intelectual se ubicó en la década del '80. La hipótesis fundamental de Robert Lucas es que el ser humano posee perfecta racionalidad y toma sus decisiones económicas sobre la base de ella. Esta hipótesis psicológica fue duramente criticada, pero Lucas y sus seguidores se escudaron en el razonamiento de que no hacía falta que cada uno de los operadores económicos fuera perfectamente racional, sino que sólo era necesario que el promedio de los operadores económicos se comportara con perfecta racionalidad para que sus teorías fueran válidas.

Esto implica transformar la hipótesis psicológica de la perfecta racionalidad en una hipótesis sociológica: se supone que los desvíos en la racionalidad humana, en una sociedad, se compensan entre sí. Se trata, como se ve, de un supuesto exótico, rarísimo, pero a la vez tan central en la teoría de Lucas, que si se cae, nada en ella permanece en pie. Es extraño que esto haya ocurrido, sobre todo a la luz de los descubrimientos de otro economista, Gary Becker (Nobel en 1992), quien descubrió matemáticamente que las preferencias individuales no son agregables (o sea, no puede obtenerse una función de preferencias sociales a partir de la adición de las individuales, dado que estas últimas no pueden sumarse). Con este descubrimiento Becker lanzó un verdadero misil a toda la denominada "teoría de la utilidad", que es la base subyacente en las teorías económicas de Chicago y termina de derrumbar mucho más que todo el aparato teórico de Chicago.

A pesar de ello, y como con Nash y Lipsey, los "científicos" que estaban creando las escuelas de Chicago no parecen haber efectuado acuse de recibo alguno. Para Lucas, todas las sociedades del mundo, en todo momento del tiempo, toman sus decisiones económicas con perfecta racionalidad. Las decisiones de consumo, ahorro, inversión se hacen, según Lucas, sabiendo perfectamente bien qué es lo que el gobierno está haciendo en materia económica. Por lo tanto, para Lucas y su gente, cualquier iniciativa estatal para cambiar el rumbo natural con el que una economía se mueve no sólo es inútil sino contraproducente. Es así que Lucas y su gente llegaron a la conclusión de que lo mejor que puede hacer todo gobierno del mundo en cualquier momento, en materia económica, es no realizar nada que no sea mantener el equilibrio fiscal.

Es difícil entender cómo puede ser que estas ideas, extrañas por cierto, hayan acaparado la atención de economistas y de los medios de comunicación de la manera que lo hicieron. En el caso específico de la Argentina, pertenecer a la corriente de la Escuela de Expectativas Racionales durante los años '80 y '90 se transformó, directamente, en una moda ineludible para muchos economistas. Cualquier economista que no perteneciera a esta corriente y que abjurara de ella era visto poco menos que como un dinosaurio. Nadie se preguntaba, y es muy raro que así haya ocurrido, cómo puede ser que la teoría económica de todo el planeta estuviera en manos de un ingeniero puesto a esbozar teorías psicológicas (disciplina alejadísima de la ingeniería), ultraespecializado en matemáticas. Pero así ocurrió. Nadie sabe muy bien, tampoco, de dónde salió el argumento de que el *promedio* de cualquier sociedad se comporta de manera perfectamente racional. Si nos detenemos a pensar un minuto sobre todo esto, podríamos llegar fácilmente a la conclusión de que si estas teorías eran tomadas en serio por muchos de quienes eran considerados los más idóneos profesionales en economía, fue exclusivamente porque se habían elaborado en una universidad considerada muy prestigiosa. Sin el sello de Chicago, las teorías de Lucas probablemente hubieran causado hilaridad y hubieran mandado al ingeniero a construir puentes o edificios, en vez de intentar explicar cómo funciona la economía mundial y la psiquis promedio de toda sociedad. Para Lucas, entonces, si los gobiernos no se meten con la economía, ésta logra muy fácilmente el pleno empleo: todo es cuestión de que los gobernantes levanten todo tipo de restricciones a la competencia perfecta y cuiden que no haya déficit fiscal. Nada más que eso, y en forma mágica, se llega al pleno empleo.

Y no sólo al pleno empleo, sino también a los mejores salarios posibles para toda la masa laboral, de cualquier país del mundo, en cualquier momento del tiempo. La implicancia de esto es en el fondo grotesca: Lucas nos quiere hacer creer que la tasa de crecimiento demográfico en cualquier país iguala, en poco tiempo, la tasa de generación de empleo. Que es lo mismo que decir que la gente opta por reproducirse al mismo ritmo en que se ponen avisos clasificados en búsqueda de obreros y empleados en los diarios. Como se ve, una verdadera aberración, de tamaño supino, si se tiene en cuenta que además se transforma esa creencia en postulado universal. No es difícil entender por qué de la mano de Robert Lucas llegamos a una conclusión tan disparatada si consideramos que el ingeniero parte de hipótesis equivocadas tanto porque se basa en el individualismo de Adam Smith, como en hipótesis psicológicas *sui generis*.

Sin embargo, habría una forma de pensar que Lucas podía tener algo de razón. Ello se da si pensamos la existencia humana con un criterio malthusiano: Thomas Robert Malthus, ensayista inglés del siglo XIX, pensaba que mientras las poblaciones humanas se multiplican en forma geométrica, las subsistencias lo hacen sólo aritméticamente. Por lo tanto, la sobrepoblación era, para Malthus, el peor peligro que acechaba al planeta. De esta manera, las guerras, las hambrunas o las epidemias eran "sanos" métodos de corregir el fantasma de la sobrepoblación. Si bien el tiempo no dio la razón a Malthus, y la población mundial ha crecido increíblemente en los últimos dos siglos. A pesar de ello, el *establishment* norteamericano es un ferviente creyente de las ideas malthusianas. Baste con señalar que el obsequio que el presidente George Bush le hizo al presidente argentino Kirchner en su visita a Washington DC no fue otro que la principal obra de Malthus, llamada *Un ensayo sobre el principio de la población*, del año 1798.

El corolario de la teoría de Lucas es entonces que en forma universal la tasa de crecimiento demográfico iguala la tasa de generación de empleo. Por lo tanto, dado que la tasa de crecimiento demográfico no es otra cosa que la tasa de natalidad menos la de mortalidad, si esta última es rápidamente variable, y la gente muere a medida que desaparece el empleo, o vive más si se le ofrece trabajo, podríamos ubicarnos casi siempre en una especie de "pleno empleo", según Lucas. Si se posee una filosofía malthusiana, es por supuesto mucho más fácil creer en la Escuela de las Expectativas Racionales.

¿Por qué el *establishment*, la elite norteamericana, es creyente de Malthus, aun cuando la realidad demostró que no estaba en lo correcto? Porque estiman que es sólo una cuestión de tiempo, hasta que Malthus esté en lo correcto. Como la energía del planeta está basada en recursos no renovables, lo que buena parte del *establishment* anglo-norteamericano cree es que, a medida que el petróleo se agote, Malthus irá teniendo razón. Si no hay energía disponible para transportar los alimentos o para producirlos, una buena parte de la población podría estar destinada a desaparecer. Todo sería cuestión de determinar quiénes. Y para ello, la elite de negocios norteamericana usa la teoría de otro inglés famoso: Charles Darwin. Darwin fue el creador de la Teoría de la Selección Natural. Esta teoría predica que las especies más aptas, que mejor se amoldan al medio, sobreviven y se reproducen, y las menos aptas perecen y se extinguen. Aplicar una combinación de las principales tesis de Malthus y Darwin a las sociedades implica adoptar una posición racista, en forma sistemática.

En lo que atañe al petróleo, elemento central en esa línea de pensamiento, muy poca información acerca de sus cantidades, distribución geográfica e ideas para reemplazarlo se suele divulgar en forma masiva en los medios de comunicación. Pensar en reemplazar la tecnología del petróleo por otra, desde el punto de vista económico, presenta más de un riesgo —que habrá que correr—. Requiere pensar la situación que puede desatarse en los mercados financieros con mucha anticipación, dado que un eventual reemplazante barato del petróleo podría poner en un riesgo elevado la salud financiera de los enormes pulpos petroleros y, por lo tanto, de los mercados financieros en su conjunto. Por otro lado, un reemplazante muy barato y abundante del petróleo podría sacar de forma inmediata de la pobreza a millones de personas.

Volviendo a la Escuela de Expectativas Racionales, si bien por obvios motivos ningún país desarrollado aplicó o aplica las tesis de Robert Lucas, Argentina sí lo hizo. El llamado "piloto automático", con el que se movían los ex ministros Cavallo, Fernández y Machinea, no era otra cosa que la admisión de que el Estado iba a desentenderse de la crisis de empleo que vivía la Argentina en los '90, y el mensaje que los argentinos recibían desde los medios de comunicación, en forma masiva, de parte de autoridades y de economistas presuntamente independientes, era que no había que hacer nada porque la situación del empleo se solucionaba sola. No es casual que Robert Lucas visitara la Argentina en 1996, invitado en forma especial por la principal usina de la Escuela de Expectativas Racionales de la Argentina: el CEMA, y hasta conociera al entonces presidente Menem en la quinta presidencial de Olivos, lo que marca hasta qué punto esta verdadera secta de la economía caló hondo en la Argentina.

Quien se pregunte por qué en la Argentina estas ideas han tenido mucha más aplicación que en otros países puede encontrar una respuesta al alcance de la mano: desde los años '60, la Argentina padeció crónicamente altas tasas de inflación, y hasta llegó al exceso de padecer dos cortas hiperinflaciones en 1989. Dado que las teorías desarrolladas en la Universidad de Chicago, tanto la de Friedman como la de Lucas, venían etiquetadas como el más poderoso antídoto contra la inflación, los economistas argentinos adoptaron, en general, un sesgo mucho más pronunciado que sus pares de otros países del mundo a favor de las teorías de Chicago, sin ejercer el pensamiento crítico, simplemente porque esas ideas venían de Chicago. Muchos de los más conocidos de nuestros economistas incluso estudiaron allí, y luego han diseminado en la Argentina esas ideas. No es casual entonces que desde hace varios años este país ostente el raro récord mundial de desempleo y subempleo, los que, sumados, arrojan durante largos años guarismos superiores al 30%. Lo curioso del caso es que generalmente se enseña en las universidades de todo el mundo que la Escuela Monetarista surgió como una respuesta a las altas tasas de inflación que los elevados déficit presupuestarios causaban en vastas partes del planeta. Sin embargo, si se revisa la historia, se observa que en los años '50 e inicios de los '60 en Estados Unidos prácticamente no había inflación y en la gran mayoría de los países desarrollados las tasas de inflación eran relativamente bajas, de un solo dígito anual. Habría que cuestionar, entonces, el supuesto origen antiinflacionario de las teorías de Chicago, dado que la inflación no era un problema en los países desarrollados en el momento en que estas teorías empezaron a surgir. Queda por ahora en la nebulosa, entonces, la verdadera causa de estas teorías, precursoras en la realidad de la globalización. Cuando se gestaron, la inflación sólo era un problema grave en países en vías de desarrollo. ¿Habrá sido acaso un gesto de filantropía del *establishment* norteamericano hacia los países pobres dedicar tantos recursos a la generación de "las escuelas de Chicago"?

En resumen de cuentas, desde al menos los años '50, la teoría económica se viene manejando de una manera no sólo muy poco profesional sino además acientífica, casi como si se tratara de la astrología o de alguna otra disciplina cuyos basamentos fundamentales no pueden explicarse racionalmente. Descubrimientos científicos de gran envergadura, cuya difusión hubiera podido cambiar la historia de la globalización y detener sus peores consecuencias, fueron prolijamente ocultados hasta a los propios economistas, mientras que teorías basadas de antemano en hipótesis probadas matemáticamente como falsas fueron diseminadas no solamente entre los profesionales en economía, sino también en los medios de comunicación, y hasta fueron aplicadas en los lugares del mundo en los que ello ha sido posible, donde había un ambiente receptivo favorable, como en América latina.

Se nos había enseñado que el sistema de universidades norteamericano era el más desarrollado del mundo, que su actitud hacia el conocimiento científico era frío e imparcial. Que la ciencia progresaba en estas universidades independientemente de presiones políticas y de conveniencias económicas y empresariales. ¿Cómo pudo ocurrir esto, entonces? Un detalle no menor que se debe tener en cuenta es que las dos escuelas mencionadas se originaron, desarrollaron y expandieron desde la Universidad de Chicago, recibiendo fuertes dosis de financiamiento de esa casa de estudios. El financiamiento no se detuvo sólo en pagar los elevados salarios de los investigadores que desarrollaban las teorías monetaristas y de expectativas racionales en ese recinto académico, sino que además también abarcó la costosa campaña de difusión de estas ideas en los medios de comunicación. Es necesario tener en cuenta que, aunque alguien pueda llegar a un descubrimiento tipo "pólvora económica", sin el dinero suficiente para diseminar esa idea en los medios de comunicación no hay forma alguna de que el conocimiento en cuestión tome estado público.

Es evidente, entonces, que ha habido poderosos intereses atrás de las teorías de la denominada Escuela de Chicago, que han constituido el basamento para lo que hoy es la globalización, aun cuando se trataba, ni más ni menos, que de un saber falso. ¿Qué intereses están atrás de la Universidad de Chicago? Pues bien, fue fundada por el magnate petrolero John D. Rockefeller I, creador además del mayor monopolio petrolífero del mundo: la Standard Oil. Esa casa de estudios superiores ha sido siempre un baluarte de la industria petrolera. Pero el control de una alta casa de estudios como la Universidad de Chicago por sí solo no hubiera bastado, en medio de un contexto intelectual muy independiente, para imponer las ideas de Milton Friedman y Robert Lucas de la manera en que se hizo. Si hubiera existido un contexto intelectual realmente independiente, habrían aparecido fuertes críticas a los supuestos psicológicos y sociológicos que el ingeniero Lucas introducía en sus teorías. ¿Por qué, entonces, el nivel de críticas que recibió la Escuela de Expectativas Racionales no llegó a ser muy importante? Pues bien, la industria petrolera no sólo fundó la Universidad de Chicago sino que controla, en forma directa o indirecta, al menos a las universidades de Harvard, New York, Columbia y Stanford, y además está presente en otras muchas universidades. Es usual que muchos de los directivos de estas casas de estudios superiores alternen tareas en empresas petroleras o en instituciones financieras muy relacionadas con dicho sector.

Precisamente por eso no debe llamar la atención tanto que las teorías clásicas de la economía y sus derivadas (Friedman, Lucas, etc.) den prácticamente un trato uniforme a todos los mercados, de todos los bienes, en todos los países y en todo momento, sin hacer distinción entre ellos. ¿Por qué? Hay bienes que se pueden producir y otros cuya capacidad de producción es limitada: hay recursos renovables y otros no renovables. Precisamente el petróleo es un recurso no renovable, por lo que su mercado es de características especiales. A pesar de ello, es una cuestión que escapa al tratamiento que se le da usualmente en la teoría económica: la teoría suele tratarlo como si fuera un mercado más. La cantidad de petróleo que hay en la Tierra es finita y limitada. Más aún si se tiene en cuenta que, al tratarse de la principal fuente de energía utilizada hoy en el planeta, una eventual brusca escasez no podría ser subsanada mediante el uso de otras fuentes de energía, al menos en forma rápida. Por lo tanto, los efectos de lo que ocurre en el mercado petrolero pueden trasladarse con fenomenal rapidez a todos los otros mercados. Pero los defectos de la Escuela de Chicago no se reducen a desconocer esto y a negar los descubrimientos de Nash, Lipsey y Lancaster. Es llamativo el hecho de que el propio producto, de características particulares, cuya explotación permitió la fundación de la propia universidad, y el control de otras tantas, es un bien que no fue tratado en la teoría de una manera especial al ser un recurso no renovable, por Friedman y Lucas, quienes tampoco tienen en cuenta que precisamente el petróleo es el bien cuyo mercado ostenta el mayor nivel de cartelización del mundo. Paradójicamente, entonces, quienes intentaron ejercer un verdadero oligopolio en el estratégico mercado de la energía fomentaron la creación y difusión de teorías económicas basadas en la libre competencia, la ausencia de regulaciones estatales, el paraíso del consumidor y la competencia constante entre sí de una enorme gama de productores que sólo tienen en teoría una ganancia exigua que realizar.

Ahora comenzaba a quedarme más claro por qué, y debido a quiénes, el principal descubrimiento de Nash había permanecido bastante oculto y, al mismo tiempo, aparecía como un enigma el verdadero estado de situación del mercado petrolero, sobre todo a la luz de las guerras ocurridas en el siglo XXI.

BIBLIOGRAFÍA

LIBROS:

Teoría general económica:

SMITH, Adam: *On the wealth of nations*. Londres, 1776.

ROLL, Eric: *Historia de las doctrinas económicas*. Fondo de Cultura Económica, 1942.

BLANCHARD, Olivier; PÉREZ ENRRI, Daniel: *Macroeconomía. Teoría y política económica con aplicaciones a América latina*. Prentice Hall, 2000.

SCHUMPETER, Joseph: *Historia del análisis económico*. Fondo de Cultura Económica, 1971.

DORNBUSCH, Rudiger; FISCHER, Stanley: *Macroeconomía*. McGraw Hill, 1994.

John Nash y Teoría de los Juegos:

GOLDSMAN, Akiva: *A beautiful mind. The shooting script*. Newmarket Press, 2002.

NASAR, Sylvia: *A beautiful mind*. Touchstone, 1998.

WILLIAMS, J. D.: *The complete strategist. Being a primer on the theory of games strategy*. Dover Publications, 1986.

SAMUELSON, Larry: *Evolutionary games and equilibrium selection*. The MIT Press, 1997.

MYERSON, Roger: *Game theory. Analysis of conflict*. Harvard University Press, 1991.

POUNDSTONE, William: *Prisoner's dilemma*. Anchor Books, 1992.

WEIBULL, Jörgen: *Evolutionary game theory*. The MIT Press, 1995.

HOFBAUER, Josef; SIGMUND, Karl: *Evolutionary games and population dynamics*. Cambridge University Press, 1998.

DAVIS, Morton: *Game theory. A nontechnical introduction*. Dover Publications, 1970.

OSBORNE, Martin; RUBINSTEIN, Ariel: *A course in game theory*. The MIT Press, 1994.

GINTIS, Herbert: *Game theory evolving. A problem-centered introduction to modeling strategic interaction*. Princeton University Press, 2000.

KUHN, Harold: *Classics in game theory*. Princeton University Press, 1997.

KUHN, Harold; NASAR, Sylvia: *The essential John Nash*. Princeton University Press, 2002.

FUDENBERG, Drew; LEVINE, David: *The theory of learning in games*. The MIT Press, 1998.

EN INTERNET:

Teoría del Segundo Mejor:

www.internationalecon.com/v1.0/ch100/100c030.html
student/www.uchicago.edu/~rposner/rebello2.htm
netec/mcc.ac.uk/bibEc/data/papers/kudepruwp95-06.html
cepa.newschool.edu/~het/profiles/lancast.htm
cepa.newschool.edu/~het/profiles/lipsey.htm

Teoría de los Juegos:

william-king. www.drexel.edu/top/eco/gama/gama.html
william-king. www.drexel.edu/class/histf.html
www.econ.canterbury.ac.nz/hist.htm
www.economics.harvard.edu/~aroth/alroth.html
plato.stanford.edu/entries/game-theory

2. EL PROBLEMA DEL PETRÓLEO

◆

*El mundo se divide en tres categorías de personas: un pequeñísimo
número que hace producir los acontecimientos; un grupo un poco más
importante que vigila su ejecución y asiste a su cumplimiento, y, en fin,
una vasta mayoría que jamás sabrá lo que en realidad ha acontecido.*

Nicholas Murray Butler.
Miembro del Council on Foreign Relations.

El petróleo no es precisamente un tema cuyo análisis despierte la pasión de multitudes. Generalmente, se entiende que es un tema para especialistas, demasiado técnico, con aristas muy económicas. Por esta causa, la relativamente poca cantidad de material bibliográfico que surge acerca del mercado energético mundial suele ser desechada aun por el público más ávido de información, debido a la aridez del tema. Quizá, cuando concluya este capítulo, comience a ser muy diferente la visión del lector en esta materia.

Una cosa de la que no tomamos adecuada conciencia es que la vida entera podría ser analizada desde un punto de vista de transformación de la energía. Cuando comemos, o nos vestimos, o desarrollamos cualquier actividad diaria, no estamos haciendo otra cosa que procesar energía. Cuando, por ejemplo, saboreamos un plato de pastas, lo que estamos comiendo, y por lo tanto lo que refleja su valor monetario, no es otra cosa que la semilla de trigo, más el trabajo utilizado en todas las etapas de producción, más el gasoil que se usó para cultivar los campos, más el petróleo que se empleó para trasladar la semilla a la industria molinera, más el combustible utilizado para transformar eso en harina, más la cantidad de energía, mayoritariamente concentrada en hidrocarburos, destinada a los procesos de packaging, marketing, distribución mayorista y minorista. O sea, el componente energético, en forma de hidrocarburos, es un factor muy relevante dentro del costo total del producto. Si a su vez tenemos en cuenta que los salarios abonados por el trabajo se gastan también en consumo de energía, debemos concluir —y no es sólo una paradoja— que la energía mueve al mundo. Similar razonamiento podríamos hacer si analizáramos, por ejemplo, la salsa de ese plato de pastas —sin importar qué elementos estén en ella—, el vino, la gaseosa o el agua mineral que estemos consumiendo. La vida es imposible sin energía; la vida urbana se transformaría rápidamente en caótica si hubiera un corte brusco sin rápido restablecimiento de los flujos energéticos. Baste recordar el caos que a veces produce un mero apagón transitorio para tener en cuenta la real dimensión de este tema en caso de que una teórica escasez en la fuente del mercado energético pudiera impedir, entre otras cosas, que los alimentos entren a las ciudades.

Hay otra manera de ver este mismo tema: el sistema de precios y salarios de toda sociedad, lo cual implica en síntesis el nivel de bienestar que podemos alcanzar cada uno de nosotros, gira en torno a lo barata o cara, escasa o abundante, que sea la energía que interviene en los procesos productivos. Si volvemos al ejemplo del plato de pastas, éste resultará tanto más caro cuantas más dosis de unidades de energía requiera su elaboración, y cuanto más escasa y cara sea esa energía.

Ahora puede quedar claro, entonces, que al hablar de energía no nos referimos a un mercado más o a un bien común y corriente, fácilmente sustituible por otro, sino que hablamos de supervivencia. Si muchas veces no nos ponemos a pensar en estas cuestiones es porque, salvo en contadas ocasiones, no hemos padecido graves problemas para hacernos de la energía necesaria para vivir y consumir los bienes que deseamos. Queda claro, entonces, que no da lo mismo que las fuentes energéticas estén basadas en recursos renovables o no renovables. Los recursos no renovables están destinados a agotarse y, si no dan lugar con el paso del tiempo a otro tipo de recursos que los suplanten, puede comenzar un proceso que no hemos vivido nunca en nuestras vidas: una lucha mucho más dura por la supervivencia. Jeremy Rifkin menciona muy bien en su obra *La economía del hidrógeno* que las civilizaciones que no tratan en forma cuidadosa las fuentes y cantidades de energía disponible se extinguen. Si hablamos en términos de cultura, extinguirse implica una más rápida o más lenta muerte masiva.

La inteligencia del hombre ha sido capaz de generar asombros científicos incomparables: se ha llegado a la fórmula y la posible manipulación del genoma humano, hace más de tres décadas se llegó a la Luna, nos podemos comunicar en forma instantánea con alguien en otra parte del planeta prácticamente sin costo, y se puede dar la vuelta al mundo en horas cuando hasta hace un par de siglos demandaba meses. A pesar de todo este enorme progreso, la energía con la cual nos movemos, y movemos todos los bienes, es básicamente la misma que se usaba hace un siglo y medio, es un recurso no renovable, escaso, contaminante y que ha ocasionado terribles guerras, varias de ellas recientes.

¿No ha sido el hombre capaz de crear un sustituto? Dos grandes firmas automotrices están haciendo ensayos preliminares para que el combustible de sus automóviles sea el hidrógeno. De todas maneras, se trata de algo aún muy incierto en el tiempo y con escasa o nula programación estatal en la materia. O sea, no hay planes gubernamentales importantes para fomentar que el petróleo sea reemplazado por un recurso energético renovable. A mediados del 2003, tras la guerra con Irak, George W. Bush continúa dilatando la decisión acerca de la licitación entre universidades norteamericanas para estudiar en forma hipotética cómo desarrollar la tecnología del hidrógeno. Por lo tanto, si han sido creados sustitutos de los hidrocarburos fósiles, con buenos resultados, permanecen en el anonimato. No es nada improbable que los enormes intereses que hay detrás del oligopolio mundial petrolero hayan provocado su silenciamiento. Cuando hablamos de monopolio u oligopolio mundial petrolero debemos referirnos ineludiblemente a las empresas derivadas de la antigua Standard Oil, compañía creada luego de la guerra civil norteamericana por el ya mencionado John D. Rockefeller I.

Haciendo un poco de historia

Rockefeller, en muy poco tiempo, se transformó en un tácito monopolista de la industria petrolera norteamericana. Llegó a concentrar en sus manos el 95% de la exploración, explotación, distribución y venta minorista de gasolina en EE.UU. Siempre pensó que el negocio petrolero debía estar integrado en forma vertical, o sea, una misma firma debe controlar todas las etapas de producción. Y que la clave del negocio en sí mismo era tener bajo su órbita el proceso de distribución, por lo que llegó a obtener un acuerdo con importantes descuentos con los ferrocarriles que controlaba JP Morgan, acuerdo que resultó a la postre ruinoso para todos sus competidores, a los que uno a uno fue desplazando del mercado, muchas veces mediante la aplicación de métodos semicompulsivos o compulsivos. Ese accionar empresarial, carente de preceptos morales, o de códigos, era común en la decena de empresarios que comenzó a controlar la economía norteamericana tras la muerte de Abraham Lincoln. Se trataba de empresarios profundamente odiados por la población en su conjunto, por lo que ya en aquella época fueron bautizados *The Robber Barons* (Los Barones Ladrones), expresión que quedó a través de los tiempos, y con la cual aún hoy muchos los recuerdan, a pesar de la acción de una cantidad de biógrafos a sueldo que, con el transcurso de las décadas, la falta de conocimientos reales de historia del pueblo norteamericano y el paso de las generaciones, ahora intentan mostrar un pasado mucho más rosa. Por ejemplo, en su voluminosa biografía de John D. Rockefeller I, el historiador oficial con que hoy cuenta la elite norteamericana, Ron Chernow, titula la biografía de John D. Rockefeller I con el nombre de *Titán*, y lo representa como un personaje ambivalente. En cuanto a biografías, es necesario mencionar que aquellas que citaban con más detalle algunos de los actos de crueldad y barbarie atribuidos al clan han desaparecido casi por completo del mercado bibliográfico, al punto que han caído en el olvido episodios tales como la masacre de Ludlow, cuando gente propia de Rockefeller en 1913 mató a mujeres y niños por plegarse a una huelga de la Colorado Oil and Fuel, empresa propiedad de esa familia. Incluso las recientes biografías para televisión que realizaron tanto History Channel como PBS muestran a Rockefeller, el primer billonario del mundo, casi como un altruista, un poeta, cuando el saber popular recuerda que sus asesores le recomendaban darle algunas monedas a los niños pobres cuando había fotógrafos cerca, lo que no se le ocurría al propio empresario, cuya máxima ambición en la vida, además de juntar dinero y poder, fue llegar a cumplir 100 años, de lo que estuvo muy cerca, al morir en 1937 a los 98 años de edad.

El odio popular a los *Robber Barons* era en aquellas épocas enorme. Se trataba cada vez más de una casta monopolista en sus diferentes actividades, de un verdadero equipo que se ayudaba solidariamente entre sí, cuyos vástagos se casaban entre sí a fin de que no se diseminaran las fortunas familiares. Si bien un siglo antes Adam Smith había comenzado a idear la tesis del individualismo como base de la competencia perfecta, quienes detentaban el poder económico en Estados Unidos a fines del siglo XIX constituían en realidad una verdadera corporación. Tan corporativo y concentrado era el poder económico que en 1890 el gobierno norteamericano se vio en la obligación de dictar la llamada "Ley Sherman", legislación antitrust, que tardó 21 años en ser aplicada para el caso del petróleo. Recién en 1911 se ordena la división de la Standard Oil, que pasa así a fracturarse en una serie de empresas más pequeñas estaduales, pero que siguieron durante muchísimo tiempo constituyendo un monopolio en las sombras debido a una conjunción de factores. En primer lugar, el clan Rockefeller recibió un porcentaje de acciones de cada una; en segundo lugar, las particulares condiciones de la Bolsa norteamericana, donde el capital accionario está singularmente atomizado, hacen que con una pequeña fracción del total de las acciones se pueda controlar toda la empresa, sus políticas comerciales y financieras, y hasta el nombramiento de los directores. Los propios bancos relacionados desde fines del siglo XIX con el clan Rockefeller facilitaron que la desmonopolización haya sido sólo un intento vano: una ley presuntamente cumplida, tras la cual hay un monopolio en las sombras. Este proceso se agudiza cuando comienza a proliferar una inmensa gama de fondos de pensión e inversión, en los que la población norteamericana coloca sus ahorros y los fondos para su jubilación. Estas entidades, muy relacionadas con los bancos, han invertido ingentes cantidades de fondos en comprar aún más acciones de estas empresas. Como estos fondos de inversión y pensión en muchos casos son propiedad de los bancos de la elite norteamericana, o están relacionados con ellos, ésta ha encontrado una "pócima mágica" no sólo para seguir controlando lo que antes eran monopolios dirigidos de manera unipersonal sino para ejercer su dominio sobre muchos otros sectores a los que no hubiera podido acceder si no se hubiera dado esta singular forma de estructura financiera que existe aún hoy en Wall Street. Poseyendo el 5 o 10% de una empresa, y administrando otra parte, aun cuando no sea de fondos propios sino con los ahorros de la gente invertidos en bancos y fondos de pensión e inversión, se puede controlar totalmente un mercado tan estratégico como el energético.

El caso del clan Rockefeller es quizás el principal emblema, pero no el único. Durante buena parte del siglo XX, el monopolio petrolero anglo-norteamericano fue rebautizado como "The Seven Sisters" (Las Siete Hermanas). Pero el proceso de gran concentración del capital vivido en la década del 90 ha hecho que se dejaran de guardar las apariencias y las empresas petroleras volvieran a fusionarse. De seguir a este ritmo, ya poco faltaría para volver a la primitiva Standard Oil. En efecto, la familia Rockefeller controla los conglomerados petrolíferos Exxon-Mobil, Chevron-Gulf-Texaco y Amoco-British Petroleum. También le corresponde, por ejemplo, y entre muchos otros intereses petrolíferos en el resto del mundo, una proporción muy importante en el petróleo que Repsol posee en la Argentina dado que Aznar vendió en 1997 acciones de Repsol en la

Bolsa de Madrid y fueron compradas nada menos que por el Chase Manhattan Bank.[1] Este banco, también controlado por la familia Rockefeller, adquirió recientemente al JP Morgan, al Chemical Bank y al Manufacturers Hannover. Desde hace tiempo, la misma familia también controla al Citibank e influye decisivamente en el Bank of America. En realidad, hay una gama de negocios que sigue oligopolizada en las sombras en Estados Unidos, a pesar de la legislación en la materia. Es necesario volver a remarcar que el capitalismo en su versión norteamericana produjo un enorme auge de cotizaciones en la Bolsa de todo tipo de empresas. Con una muy pequeña proporción del capital accionario de ellas y de los fondos de inversión o pensión que luego invierten una enorme parte de lo que recaudan en las mismas acciones cotizantes, una pequeña elite influye decisivamente en las políticas de las megaempresas de esos sectores. Ello ocurre más visiblemente en los negocios de banca y finanzas, petróleo y energía, laboratorios[2] y salud, educación y universidades. Todas estas ramas de la producción están relacionadas entre sí a través de los clanes elitistas controlantes de los sectores en bloque. No se trata de un esquema cerrado en sí mismo sino con derivados a otros sectores de la actividad como, por ejemplo, la industria de armamentos. Debe tenerse en cuenta que en el oligopolio mundial energético también tiene una vital influencia la empresa Royal Dutch Shell, en parte propiedad de las coronas británica y holandesa, y financiada en buena medida por la familia Rothschild, antigua financista europea de varias coronas reales, sobre todo a la hora de financiar guerras. Se caracterizaba por auxiliar financieramente a la vez, a los dos

[1] Algo similar ocurrió con Telefónica de España. Las acciones vendidas en la Bolsa de Madrid por el Estado Español fueron compradas en forma mayoritaria por bancos estadounidenses muy relacionados con el clan que controla el petróleo norteamericano.

[2] La indutria farmacéutica trabaja, tal como lo hace la petroquímica, con derivados directos del petróleo. El crudo se solía vender en pueblos y ciudades norteamericanos mezclado y enfrascado como "remedio milagroso" para gran cantidad de males, como el cáncer, antes de 1860. William Rockefeller, padre del fundador de la Standard Oil, se dedicaba a esa actividad.

bandos. Según abundante información, esta misma familia también es la prestamista original de los Rockefeller y de todo el desarrollo petrolífero, ferroviario y bancario en Estados Unidos, a través de las familias Morgan (banca y ferrocarriles), Harriman (ferrocarriles y altas finanzas) y Rockefeller (petróleo y banca). Los ferrocarriles no eran un negocio de transporte más en el siglo XIX. No había transporte aéreo, no existía el transporte de carga por carreteras, no había red de autopistas. Tan sólo una de las pocas empresas ferroviarias en Estados Unidos rivalizaba con el propio gobierno federal en cantidad de obreros empleados. Ello significa que haber controlado cuasi-monopólicamente ferrocarriles, petróleo y bancos implicaba controlar el real poder en Estados Unidos. Resulta llamativo, entonces, que la familia Rothschild, en la reciente biografía oficial escrita por Nial Ferguson en dos tomos, en Oxford, intente mostrarse a sí misma como en decadencia desde mediados del siglo XIX, precisamente por no haberse podido instalar como banca en Estados Unidos, y perder el control de la situación cuando Nueva York comienza a rivalizar con Londres como centro financiero mundial. Ello se da de bruces con el control que dicho grupo económico ejercía por medio de la financiación sobre los tres principales negocios de Estados Unidos. Sin embargo, esa voluntad propia de aparecer cada vez más en el anonimato va de la mano con el hecho de que el clan Rothschild sólo presta en la actualidad su apellido a bancos de inversión singularmente pequeños.

Energía y Poder

Aunque existen algunas otras grandes empresas en el mercado petrolífero mundial, generalmente se trata de compañías estatales de países sin petróleo, como el caso de la ENI (Italia) o TotalFina Elf (Francia). En el caso de varios países árabes, el petróleo ha quedado en manos de un monopolio árabe-norteamericano (Aramco), cuyo control al menos comparte el clan Rockefeller. Arabia Saudita posee más de un quinto de las reservas mundiales de petróleo que quedan en el planeta. Actualmente, en el mercado petrolífero mundial, las compañías estatales tienden a ir concentrando una proporción cada vez más importante en las fases más primarias de la producción, o sea, en la exploración, extracción y a veces refinación del petróleo. Por su parte, las megaempresas privadas anglo-norteamericanas quedan con una proporción cada vez más importante en las etapas finales de la producción (distribución y venta minorista). Si esta tendencia que se agudiza al ritmo de la propia extinción del petróleo norteamericano y en aguas inglesas siguiera, las empresas privadas anglo-norteamericanas perderían una buena cuota del poder real que les otorga el haberse constituido desde hace más de un siglo como un verdadero monopolio en las sombras, dado que no contarían casi con petróleo propio, sino que dependerían de la buena voluntad de empresas petroleras estatales, reales dueñas de yacimientos. Si nos detenemos a pensar un poco en este punto, se observa que la decisión de ir a Irak e invadirlo contra viento y marea es una decisión estratégica con miras a estar donde está el petróleo, a manejarlo y extraerlo como si fuera propio, y a no depender de la buena voluntad de empresas estatales y líderes nacionales. En suma, a la necesidad de conservar el poder que otorga el tener como propias las escasas fuentes de energía no renovables que hoy resultan fundamentales para la vida humana y, sobre todo, para la vida urbana.

Controlar la energía es tener el poder. Si el más importante recurso energético es escaso y no renovable, como el petróleo y el gas, quienes manejen ese bien tienen el poder. Si las principales fuentes de energía se basaran en recursos renovables —y hay que tener en cuenta que toda la materia es fuente potencial de energía—, ningún minúsculo grupo podría tener el poder, porque las decisiones humanas de consumo bien podrían independizarse mucho más de la necesidad de trabajar. O sea, la necesidad de trabajar para vivir en el mundo contemporáneo se debe, en muy buena medida, a que al ser el petróleo un bien escaso, y por lo tanto oneroso, hace mucho más costosos los bienes que consumimos usualmente.

¿Cuál es, entonces, a la luz de la guerra en Irak y de la ocupación de Afganistán, la verdadera situación del mercado petrolero? ¿Es el petróleo abundante o escaso? ¿Urge su reemplazo o tenemos tiempo? En Internet se puede acceder con facilidad al sitio oficial de la International Energy Administration. Dicho sitio proporciona abundante información. Si bien no hay datos por empresa, sí hay datos de producción, consumo, reservas, precios, etc., tanto de petróleo como de gas natural. Las conclusiones más importantes que se pueden extraer son las siguientes:

Hacia el 2002, quedaban reservas de petróleo compatibles con el consumo actual mundial para 35 años. (Si bien al actual ritmo de producción se podría extraer petróleo durante más de 80 años en Arabia Saudita y durante más de 110 años en Irak, ambos países deberán multiplicar en el muy corto plazo su producción para compensar la extinción de pozos petroleros en Estados Unidos, Inglaterra, Rusia y México. De ahí que haya petróleo en el mundo para sólo 35 años en los niveles actuales de consumo.) Es necesario mencionar que, a esta altura, ya prácticamente todo el planeta ha sido explorado, quedando algunas dudas aún sobre el potencial que podrían tener un sector de la costa de Groenlandia, el Congo y la cuenca del Níger (país al cual el presidente George W. Bush y la CIA acusaron en su momento de vender uranio a Saddam Hussein, acusación que se comprobó falsa).

El 70% de todas las reservas mundiales de petróleo se encuentra concentrado en el Golfo Pérsico: Arabia Saudita, Irak, Kuwait, Emiratos Árabes Unidos e Irán. En el plazo de una década, más del 80% del petróleo mundial estaría en esa región. Otro 10% del petróleo mundial también se encuentra en países musulmanes como Libia, Nigeria e Indonesia. Hoy, el 80% de petróleo del mundo está en manos musulmanas, y ese porcentaje tiende a subir con el paso del tiempo. Dado que el petróleo comenzó a utilizarse como fuente energética en Estados Unidos luego de la Guerra Civil, y en aquella época sólo se lo conocía en forma abundante dentro de Estados Unidos y en Rusia, estratégicamente resultaba no sólo cómodo sino también sumamente viable comenzar a basar la energía en hidrocarburos fósiles. El combustible saudí sólo vio la luz en 1938. Y fue, con el paso de las décadas, que el mundo se llevó la sorpresa de que estaba concentrado mayoritariamente en torno del Golfo Pérsico. Entonces puede comenzar a quedar un poco más claro el porqué de la frecuente propaganda contra países de origen musulmán, dado que el intento de basar la energía del planeta en un recurso escaso, que se encontrara sobre todo en el subsuelo estado

medida que se iban secando los pozos petrolíferos de Texas, cosa que comenzó a ocurrir hacia los años '60, y se iban descubriendo cada vez más yacimientos gigantescos en países árabes (lo que terminó de ocurrir en los años '80).

Muy cerca del techo

Estados Unidos tocó el techo de su producción anual de petróleo en el año 1970, con algo menos de 10 billones de barriles anuales de crudo. Hoy apenas si puede producir 5 billones de barriles por año. Ello, a pesar de que se ha incorporado la un tanto decepcionante —en cuanto a su magnitud— cuenca petrolífera de Alaska al mercado. Todo esto al costo de comenzar a generar un preocupante problema ambiental, y aunque se han desarrollado y aplicado nuevas tecnologías extractivas, las que, por ejemplo, introducen gas a presión en la roca de los yacimientos para virtualmente "secar" las rocas de petróleo y aumentar la posibilidad extractiva de pozos vecinos, incrementando de forma importante el recupero de la inversión en los pozos. A pesar de que estas cifras indican una realidad energética preocupante al menos dentro de los propios Estados Unidos, el gobierno de George W. Bush muestra una gran lentitud en las tareas preliminares previstas para licitar entre las universidades norteamericanas algunos fondos para el estudio de tecnologías masivas que reemplacen al petróleo. Esa pereza se contrapone a la enorme rapidez con la cual el mismo gobierno decidió efectuar la licitación de las obras petrolíferas por desarrollarse en Irak, que ganó antes de la propia caída de Bagdad y Basora una filial de la empresa Halliburton (Kellogg), la que fue hasta hace poco dirigida por el propio vicepresidente norteamericano, Dick Cheney. Desde ese año 1970, cuando Estados Unidos alcanzó el denominado "techo de producción anual", ésta no ha cesado de declinar, como lo indican las cifras antes comentadas. El descenso ha sido particularmente mayor en los años '90 y en el inicio de este siglo, ya que a lo largo de una década cayó casi 20%. Hacia 1950, Estados Unidos producía prácticamente el 100% del petróleo que consumía y era el primer productor mundial. Importaba algo de petróleo, pero también exportaba. Hoy, Estados Unidos no llega a producir 45% del petróleo que consume. Sigue siendo el primer consumidor mundial, con casi un cuarto del consumo de todo el planeta. Se calcula que, al actual ritmo de producción, el petróleo norteamericano se extinguirá en el año 2010. Peor aún es la situación en Inglaterra: los pozos descubiertos en el Mar del Norte, cuya propiedad comparten Inglaterra y Noruega, sobre los que se llegó a pensar en su momento que eran mucho más grandes, han resultado menos abundantes que lo previsto, y se calcula que Inglaterra se quedará sin petróleo aproximadamente en el año 2006. Fuera de los países musulmanes, el petróleo es aún abundante sólo en Venezuela (recordar el intento de golpe contra Chávez efectuado por sectores empresariales muy relacionados con el *establishment* petrolero de Estados Unidos y la CIA) y algunas de las ex repúblicas de la URSS. En mucha menor medida en China, Libia y México. Y... en ningún lado más.

Desde mediados de la próxima década, el petróleo estará entonces tan concentrado en tan pocas manos, y tan escaso resultará en Estados Unidos, que ello puede ayudar a explicar la verdadera naturaleza de las guerras que hemos visto en el siglo XXI. La decisión hasta el momento ha sido no sólo ir tras el petróleo, sino también seguir férreamente con la tecnología de ese combustible. Hemos mencionado que las cifras oficiales indican que hay reservas mundiales para 35 años. Ello puede generar una falsa idea: que hay por lo menos tres décadas de tiempo antes de que se produzca una grave crisis energética; que todo es cuestión de encontrar métodos pacíficos de solución a los conflictos, de manera tal que el comercio de petróleo del Golfo Pérsico a Occidente y Japón se realice en forma fluida evitándose las fricciones que hubo con los talibanes (Afganistán, por su particular enclave, es importante para el paso de gasoductos) y con Irak. De esa manera, si nos guiamos por las cifras oficiales de la International Energy Administration, aún hay cierto tiempo —no mucho, pero tres décadas es un plazo apreciable—, y las tensiones bélicas de inicios de este siglo bien podrían ceder si se diera con la gente indicada para gobernar los países. O sea, si los conflictos entre Estados Unidos y el mundo musulmán los resuelve otra clase dirigente, distinta de la que hoy está sentada en la Casa Blanca y en varios países musulmanes. Si seguimos por esta línea de pensamiento, debemos limitarnos a calcular cuál sería la real magnitud del déficit estructural adicional en las balanzas de pagos de Estados Unidos e Inglaterra, producido por el hecho de tener que importar todo el petróleo que aún producen en su propio territorio, pero nada más que eso. Ello requeriría de un mayor "ajuste de cinturón" de las poblaciones de ambos países, pero nada del otro mundo, nada que no se haya ya visto en el pasado en cuanto a ajuste recesivo. Después de todo, el 55% del petróleo que consume Estados Unidos —que es importado— representa entre 1 y 1, 5% de su PBI, según la cotización del barril. Es decir, el impacto de dejar de producir petróleo, importando el restante 45% que hoy aún produce internamente Estados Unidos, equivaldría a cerca de otro 1-1,5% de su PBI, si se soluciona el conflicto a través del comercio internacional. Si bien hoy, en pleno 2003, Estados Unidos tiene un muy abultado déficit de balanza de pagos del orden de 5,2% de su PBI, un déficit adicional de 1-1,5% lo colocaría en las puertas de una recesión más pronunciada que la que ha venido evidenciando desde el año 2000, y quizás en la necesidad de una más apreciable caída del dólar. Pero no se trataría de nada imposible de manejar. A todas estas conclusiones se puede llegar, entonces, si se atan lo suficiente los cabos sueltos a partir de las cifras oficiales de la International Energy Administration.

Pero lamentablemente estaríamos frente a un espejismo, mucho más grande aún que los que se suelen padecer en los desiertos bajo los cuales se encuentra el petróleo.

Ocurre que el petróleo no es como el agua o el aire, ni como el dinero. No se puede extraer al ritmo que se desea ni se encuentra en forma uniforme ni es siempre de la misma calidad. Por empezar, en las reservas suelen figurar petróleos especialmente pesados, que suelen ser de mucho más bajo valor energético y caros de procesar, petróleo que aún hoy no se sabe procesar bien por su bajo valor energético y económico. Hay incluso tipos de petróleo que aún hoy no poseen valor económico, y otros ubicados en zonas de muy difícil acceso, cuya explotación sería tan cara que sólo tendría sentido con un precio mundial del crudo compatible con cerca de 80 dólares el barril a valores del presente, actualizados por la tasa de inflación en Estados Unidos, al que se llegó durante la segunda crisis petrolera mundial a raíz del conflicto entre Estados Unidos e Irán en 1979. Esto implica que un porcentaje indeterminado pero apreciable de las cifras oficiales es petróleo que está en las estadísticas pero no en la realidad.

En segundo lugar, y en forma aún mucho más importante, hay que tener en cuenta que el petróleo no va a empezar a faltar desde el año en que teóricamente se extinga (alrededor del 2035-2040), sino desde cuando se alcance lo que se denomina "techo mundial de producción". El "techo mundial de producción" es la máxima cantidad posible de petróleo que se puede producir en un año y depende de las características geológicas de los pozos, del tipo de crudo, de la tecnología extractiva que se use, etc., etc. En el mundo, todavía nos encontramos en la fase ascendente de producción mundial del crudo. Medir su disponibilidad por la cantidad de años de reservas existentes implicaría aplicar un cálculo lineal de posibilidades de extracción. O sea, significa pensar que todos los años se puede extraer la misma cantidad y un poco más. La realidad es diferente. Existe primero un período ascendente, de producción año tras año superior, causado por el hecho de que van entrando al circuito productivo más yacimientos que los que se van "secando". Luego se alcanza el "techo mundial de producción", y ésta se estanca cerca de esa cifra durante un período breve de algunos años. Finalmente, comienza un período de producción declinante año tras año, originado por el hecho de que ya no pueden agregarse a la producción nuevos yacimientos al mismo ritmo al cual van saliendo de circulación y agotándose muchos de ellos, ya secos. Hoy el planeta ha ingresado en la última parte de la curva ascendente del ciclo de producción del petróleo. Al "techo mundial de producción" aún no se ha llegado. Cuánto falta para alcanzarlo es un dato clave para la economía del mundo entero. El "techo de producción" sí ha sido alcanzado, por ejemplo, en países como en Estados Unidos. Hemos mencionado que el "techo de producción norteamericano" se tocó en el año 1970, y debe recordarse muy especialmente que en 1973 se produjo una de las dos crisis energéticas mundiales más graves de que se tengan noticias, cuando la historia oficial indica que Arabia Saudita produjo un embargo petrolero a los países occidentales que ayudaron a Israel a ganar la guerra de ese año. En aquellos años '70 eran frecuentes las colas en las estaciones de servicio, el racionamiento de combustibles y la inflación descontrolada en muchos países a consecuencia de las subas de precios de los hidrocarburos evidenciadas en todo el mundo como consecuencia de la desaceleración inevitable que se produjo en la producción de crudo norteamericana, factor que en realidad jugó un papel preponderante en la triplicación de los precios del crudo a inicios de los años '70.

A partir del momento en que se toque el "techo de producción" mundial, se va a evidenciar una serie consecutiva de bruscas escaseces de petróleo. El mundo habrá alcanzado su máximo ritmo de producción mundial, a partir de cuyo momento, año tras año, habrá cada vez menos petróleo disponible para alimentar a cada vez más habitantes de la Tierra y a economías que pugnarán por seguir creciendo a un ritmo superior al 2% anual, mínimo umbral considerado aceptable, lo que sería inalcanzable para todos los países en forma conjunta en un mundo en el que cada día habría menos petróleo. De esta manera, el planeta se encuentra frente a una disyuntiva que debe solucionarse por alguna de estas tres vías, o una combinación de las mismas, de aquí a cierto tiempo: a) una importante reducción en la tasa de crecimiento demográfica a escala global y presumiblemente una declinación de la cantidad de habitantes en la Tierra; b) una muy profunda recesión a escala global que produzca una reducción apreciable en el nivel de vida de la población global como promedio; c) el abandono gradual pero acelerado de la tecnología del petróleo. En términos económicos, esa serie de crisis internacionales se verificaría mediante subas bruscas e imprevistas en la cotización del petróleo y/o con la aparición de nuevas guerras, que sólo alguien muy ingenuo puede creer que casualmente se sitúen cerca de donde existen grandes yacimientos de hidrocarburos, o en las zonas de su paso. Para dar una idea de la magnitud del problema frente al cual estamos, es necesario mencionar que hoy en día más de 85% de toda la energía mundial proviene de hidrocarburos fósiles. Sólo 7% tiene su origen en la energía hidroeléctrica, y en porcentajes menores aún las demás fuentes. Esto implica que no va a ser posible reemplazar los hidrocarburos fósiles con fuentes energéticas hoy existentes, sino que se deberá generar una tecnología alternativa.

Otro espejismo que suele aparecer comúnmente es el relativo a la posibilidad de utilizar carbón como recurso energético reemplazando al petróleo y al gas natural. El carbón es bastante más abundante que ambos. Estados Unidos posee carbón para 300 años en su actual nivel de consumo. En el mundo, cifras comparables pueden obtenerse para muchos países. Sin embargo, si el consumo de carbón se acelerara para reemplazar al gas y al petróleo, la cantidad de reservas se reduciría dramáticamente. Rifkin calcula que con tan sólo un crecimiento anual de 4% en el consumo anual de carbón, las reservas norteamericanas sólo alcanzarían para 65 años. Además, el carbón posee muchos inconvenientes: no es fácil extraer de él combustibles líquidos, y es muy costoso. Por lo tanto, no es un sustituto apto del petróleo y del gas natural. Adicionalmente, hay que tener en cuenta que el carbón es un hidrocarburo "sucio", muy contaminante, difícil de cargar y transportar.

Pues bien entonces, lo importante, lo central, es determinar cuál será el año en el que se produzca el "techo mundial de producción". A partir de ese momento, despertaremos del largo sueño que hemos venido viviendo y nos daremos cuenta de que la energía es un bien mucho más escaso que el espejismo de abundancia que hoy nos parece, además de que comenzarán a cobrar otro significado las guerras del siglo XXI. Una buena cantidad de los porqués a brutales episodios hoy incomprensibles para muchos adquirirá su verdadera perspectiva si no comienza a acelerarse el cambio tecnológico, cosa que va precisamente en dirección opuesta a los intereses del oligopolio petrolero mundial. Si se encuentra un recurso energético renovable y barato para reemplazar al petróleo, los enormes pulpos petroleros enfrentarían una extinción muy acelerada.

El "techo mundial de producción" es, entonces, el dato crucial que es necesario tener en el análisis porque marca el límite entre una producción en alza y una que comienza a ser declinante. La cantidad de años de reservas, que hemos dicho que son 35, parte del supuesto de que se puede producir petróleo en forma constante, y ya hemos explicado que no es así. La determinación de ese año es un cálculo que sólo los geólogos pueden efectuar basándose en sus estudios sobre los pozos en todo el planeta. Los geólogos están divididos entre "optimistas" y "pesimistas". En el caso de lo evidenciado ya en Estados Unidos en 1970, la batalla la ganaron los "pesimistas". Peor aún, triunfó el más pesimista, dado que el consenso hablaba de una imposibilidad de que la producción tocara su techo en 1970, cosa que ocurrió y generó una gran crisis sólo tres años más tarde. En el caso del mundo, los "optimistas" esperan que el "techo mundial de producción" sea alcanzado entre el 2014 y el 2018. En ningún caso esperan que se alcance después del año 2020. Los "pesimistas" esperan que el "techo mundial de producción" se alcance hacia el año 2010 y algunos de ellos esperan que ello ocurra en el 2004.

Una buena parte de la aparente aceleración que ha tenido la historia en el comienzo de este milenio, con la aparición de sucesos inéditos anteriormente, se debe precisamente a los datos anteriores. Ocurre que en los años '90 comenzó a hacerse evidente que parte de las reservas oficiales de petróleo que quedaban en los estados de la ex URSS y los países árabes en general estaban sobredimensionadas en las estadísticas, probablemente ex profeso, dado que los pozos petrolíferos servían como garantía para préstamos bancarios, lo que en algunos casos motivó una intención de "inflar" artificialmente el contenido de los yacimientos. Es como si hubiéramos subido la ladera de una montaña empinada, en forma esforzada, sólo para caer en la cuenta, una vez en la cima, de que la ladera que habrá que transitar de aquí en más, hacia abajo, es mucho más empinada, y por lo tanto riesgosa, de lo que se pensó.

Mirando para otro lado

A partir de estos cálculos surgen varios interrogantes. El primero de ellos es por qué el gobierno norteamericano no aconseja a su población ahorrar el máximo posible de petróleo. Cuando en el año 1973 se produjo la crisis petrolera, en buena medida gestada por las empresas multinacionales estadounidenses y británicas, de la que luego se acusó sólo a los países árabes, el gobierno de Nixon aconsejaba en los medios de comunicación el ahorro de combustibles. Se trataba sólo de una crisis temporaria hasta que técnicamente fluyera mayor cantidad de petróleo del Golfo Pérsico, para reemplazar el que comenzaba a escasear en Estados Unidos y, aunque la solución era sólo una cuestión de tiempo, el gobierno cumplía con el deber de guiar a la población en lo que parecía ser una necesidad perentoria: ahorrar energía.

Hoy, en cambio, tras la invasión al segundo país con más reservas de petróleo del mundo: Irak, y con el planeta ya muy cerca de su límite de capacidad productiva de petróleo, ninguna voz del gobierno norteamericano se alza para aconsejar el ahorro de energía. Mucho más llamativo resulta esto si se tiene en cuenta que el actual gobierno estadounidense ha sido prácticamente copado por la industria petrolera. El presidente George W. Bush dirigió o formó varias empresas: Arbusto Energy, Bush Energy, Spectrum 7, Harken. Su padre fue cofundador de la polémica empresa Zapata Oil, luego dividida en Zapata Oil y Zapata Offshore[3]. La máxima asesora en materia de seguridad

[3] Zapata Offshore, empresa presuntamente relacionada en forma directa con la operación frustrada de invasión a Cuba de inicios de los '60, conocida como Bahía de los Cochinos, y cuyo nombre de código interno de la CIA no por casualidad habría sido "Operación Viva Zapata".

del gobierno de Bush, Condoleezza Rice, jefa del National Security Council (NSC), también proviene de la industria petrolera, más específicamente de Chevron.

El caso del actual vicepresidente y ex ministro de Defensa del padre de Bush, Dick Cheney, es todavía más llamativo. Durante los '90 dirigió la empresa Halliburton, principal proveedora mundial de insumos al sector petrolero. Hizo jugosos negocios vendiendo abundante material por miles de millones de dólares a Saddam Hussein para que éste se preparara en su afán de triplicar la oferta de crudo iraquí. El problema que luego se suscitó es que Saddam Hussein decidió excluir a las empresas norteamericanas y británicas del proceso de concesión de los pozos iraquíes, basando su estrategia en contratar sobre todo petroleras estatales de Europa continental. Si Saddam hubiese logrado ese objetivo, dado que el petróleo se está agotando en Estados Unidos y en Inglaterra en forma simultánea, la declinación en el volumen de negocios de las petroleras anglosajonas las hubiera condenado a un brutal achique. Habría un mayor dominio del mercado por parte de las empresas estatales de petróleo.

De todas formas, no puede pensarse que el *establishment* petrolero norteamericano haya sido tomado por sorpresa por la estrategia de Saddam Hussein, dado que la invasión a Irak comenzó a planearse a más tardar en 1997, a través de un reducido núcleo de intelectuales y hombres de acción del Pentágono, entre los cuales se encuentran Paul Wolfowitz, Richard Perle y otros, junto a Francis Fukuyama. El *think-tank* se llama "Project for the New American Century". Ese núcleo de gente, que evidentemente no se reunió por casualidad y que representa el ala más fanática del pensamiento conservador norteamericano, es en realidad una especie de desprendimiento del omnipresente pero siempre misterioso y secretivo Council on Foreign Relations (CFR), para algunos el verdadero gobierno en las sombras en Estados Unidos. Esto hace pensar que el *establishment* petrolero norteamericano le vendía material petrolero a Saddam con objeto de que se fuera construyendo infraestructura a fin de aumentar la producción, al mismo tiempo que planificaba su futuro derrocamiento. Cabe recordar que mientras esto ocurría, los medios de comunicación difundían la noticia de que el jefe de inspectores de armas, en aquel entonces en Irak, Scott Ritter, declaraba que el régimen de Hussein no sólo no tenía armas de destrucción masiva sino que no estaba siquiera en condiciones de generarlas.

No sólo las guerras en el Golfo Pérsico han sido inducidas por motivos energéticos. La historia política y económica del mundo de los últimos cincuenta años gira en torno a este tema. La bonanza económica y el alto crecimiento de los años '60 se explican por el bajísimo precio del barril de los países árabes (entre 1,5 y 3 dólares por unidad de crudo). Los agudos procesos estanflacionarios (recesión con inflación) de los años '70 se debieron al comienzo de la declinación en la producción norteamericana de combustibles, a la escasez de energía —para muchos, como Antony Sutton, creada bastante artificialmente en 1973— y al afán de las grandes empresas petroleras de incrementar sus ganancias, cosa que ocurrió mediante las dos crisis petroleras de los años 1973 y 1979. En este último año, el barril llegó a valer casi 80 dólares a valores actualizados. Los años de "vacas gordas" para las petroleras y "vacas flacas" para la gente fueron generando un problema: los países árabes se fueron enriqueciendo de una manera que algunos en Occidente comenzaban a considerar peligrosa. Los petrodólares empezaban a inundar los mercados financieros. Arabia Saudita se daba el lujo de ser el segundo mayor accionista del Fondo Monetario Internacional, y el Islam amenazaba con transformarse en un polo propio de poder cuyo epicentro bien podría haberse situado en Bagdad, por una confluencia de factores. No debe extrañar, entonces, que durante los años '80, en la era Reagan-Bush, el precio del barril declinara a niveles anteriores a la segunda crisis petrolera. Esto produjo durante buena parte de los años '80 y '90 otro período de aceptable crecimiento mundial, bajas tasas de inflación y facilitó el progreso de la globalización, al mismo tiempo que quitó al Islam —y sobre todo también a la ex URSS, cuyo principal producto de exportación era el petróleo—[4] la posibilidad de constituirse en un polo propio de poder. Claro que el problema es que esto se logró consumiendo petróleo a un ritmo mayor de aquel con que se realizaban nuevos descubrimientos. Todas las crisis energéticas de las cuales el mundo fue testigo se resolvieron de una única manera: aumentando la producción de combustibles fósiles. Esto es lo que ya no será posible desde algún momento de los próximos diez años, cuando se alcance el "techo mundial de producción".

El gobierno estadounidense no puede desconocer, entonces, la crítica situación del mercado energético, que lo ha llevado incluso a invadir países en forma acelerada. Si sus intenciones son altruistas, no se entiende por qué no existe ya una campaña para el ahorro de combustible hasta encontrar un sustituto del petróleo, si es que éste no existe ya.

¿Un Mundo Feliz?

La energía es, entonces, el principal limitante a la globalización que, por otra parte, el propio *establishment* norteamericano propugna como remedio para todos los males sociales y económicos del planeta. Los problemas van a ser muy serios: China, que viene creciendo notablemente, incorporando mensualmente millones y millones de trabajadores a su oferta laboral merced a las exportaciones que viene realizando a Occidente, muy probablemente encontrará que no le resultará posible mejorar la calidad de vida de sus habitantes con el ahorro que significa el

[4] EE.UU. logró a principios de los años '80, merced a un acuerdo secreto con Arabia Saudita, que dicho país exportara mayores cantidades de petróleo que las necesarias para el consumo. El objetivo era derrumbar el precio del barril, no sólo para facilitar una reactivación en EE.UU., sino también para dificultar el acceso a las divisas por parte de la URSS, a la cual Reagan-Bush querían derrotar definitivamente en la era de la Guerra Fría (cosa que consiguieron sólo unos años más tarde). A cambio de ese exceso de petróleo en el mercado, EE.UU. proveía de armas a Arabia Saudita, preocupada en aquella época por que Irán pudiera derrotar a Irak en la guerra, y amenazar la seguridad saudí.

trabajo acumulado de centenas de millones de chinos, quienes durante años produjeron y vendieron al exterior privándose de consumir.

La masa de ahorro acumulado en el Banco Central chino, que supera los US$ 350 mil millones, y que sigue creciendo, no podrá destinarse a mejorar la calidad de vida de los habitantes de esa nación porque la restricción energética que se nos viene en forma acelerada comenzará a operar como un serio limitante a la tasa de crecimiento global en poco tiempo más. Una elevación importante del nivel de vida de la población china es sólo una quimera si se continúa con la tecnología del petróleo. Se calcula que, si el gobierno chino decidiera brindar a sus habitantes un nivel de vida similar al del americano promedio, el consumo de petróleo mundial aumentaría 50% de un año a otro, con lo que la crisis sería... ayer. Japón, que en recesión ya lleva unos quince años, y con un aumento del desempleo que los cálculos estatales han subestimado, no podría recuperarse demasiado en un horizonte visible y mucho menos de forma sostenida, dado que las presentes condiciones del mercado energético mundial así lo impondrían. Por lo tanto, Japón seguiría en el mediano plazo generando nuevos desempleados. En cuanto a Europa, lejos de pensar en la posibilidad de reducir tasas de desempleo, en algunos casos superiores a 10%, debería conformarse, en el mejor de los casos, con mantener estos niveles y crecer lo que se pueda, si es que se puede. Frente a este panorama, esa actitud invasiva hacia los países que tienen petróleo, y a la vez despreocupada de reducir los niveles de consumo excesivo, por parte del gobierno que encabeza Bush, puede abrir todo tipo de dudas y presunciones acerca de qué intenciones hay detrás de su accionar y de su discurso, que no van por el mismo carril.

Es necesario pensar que la serie de crisis que han vivido muchos países en vías de desarrollo en los años '90 —México, sudeste asiático, Corea del Sur, Brasil, Turquía y la Argentina— es, en realidad, funcional a la situación energética mundial y al interés del *establishment* petrolero anglo-norteamericano, debido a que las brutales reducciones evidenciadas en el nivel de vida de estos países tras sus respectivas crisis no generan otra cosa que un menor consumo de energía per cápita y, por lo tanto, facilitan que sea posible continuar con la era de los hidrocarburos fósiles. Es de esperar entonces que de aquí en adelante, mientras no haya cambios sustanciales en el manejo del poder en Estados Unidos, no haya ningún apuro por parte del gobierno norteamericano para rescatar países en bancarrota. Más aún, es posible que la elite banquera-petrolera intente, a fin de continuar con la tecnología energética que le permite concentrar el poder, resolver el problema induciendo una baja en el consumo de energía per cápita. Ello se lograría, en el caso de países del Tercer Mundo, con cada crisis económica o financiera que sobreviene en alguno de sus miembros más importantes. Incluso esta baja en el consumo per cápita de energía sería aún más pronunciada si incluso vastas áreas del Primer Mundo las padecieran (ejemplo, la prolongada crisis económica japonesa), a fin de acomodar la demanda de petróleo al declinante período productivo del mismo que en breve sobrevendría en el planeta.

Si se lo mira desde esta perspectiva, los supuestos "errores" de apreciación del Fondo Monetario Internacional, que contribuyeron a que se gesten y perduren muchas de las crisis de los últimos años, en realidad no fueron tales, sino que han sido funcionales a esta necesidad de reducir el consumo de energía per cápita, que bajo determinadas condiciones puede convertirse directamente en una necesidad de ir comenzando a reducir la cantidad de "cápitas".

BIBLIOGRAFÍA

BÁSICA:

DEFFEYES, Kenneth: *Hubbert's peak. The impending world oil's shortage.* Princeton University Press, 2001.
MEDVIN, Norman: *The American oil industry. A failure of anti-trust policy.* Marine Engineer's Beneficial Association, 1973.

MEDVIN, Norman: *The energy cartel. Who runs the American oil industry.* Vintage Books, 1974.

RIFKIN, Jeremy: *La economía del hidrógeno.* Paidós, 2002.

SAMPSON, Anthony: *The seven sisters. The great oil companies and the world they shaped,* Bantam Books, 1975.

SUTTON, Antony: *Energy. The created crisis.* Books In Focus, 1979.

YERGIN, Daniel: *The price. The epic quest of oil, money and power.* Touch Stone, 1991.

ADICIONAL:

BOROWITZ, Sydney: *Farewell fossil fuels.* Plenum Trade, 1999.

BROWN, Harry: *The phoenix project.* SPI, 1990.

CAVE BROWN, Anthony: *Oil, God and gold. The story of Aramco and the Saudi kings.* Houghton Mifflin Company, 1999.

ECONOMIDES, Michael; OLIGNEY, Ronald: *The color of oil. The history, the money and the politics of the world's biggest business.* Round Oak Publishing Company, 2000.

HENDERSON, Wayne; BENJAMIN, Scott: *Standard Oil. The first 125 years.* Motorbooks International, 1996.

HOFFMANN, Peter: *Tomorrow's energy.* MIT Press, 2001.

KOPPEL, Tom: *Powering the future.* Wiley & Sons Canada, 1999.

NORENG, Oystein: *El poder del petróleo.* El Ateneo, 2003.

PEAVEY, Michael: *Fuel from water. Energy independence with hydrogen.* Merit Products, 1988.

TARBELL, Ida: *The history of the Standard Oil Company* (está gratuitamente en la web).

EN INTERNET:

Energy Information Administration (sitio oficial): *www.eia.doe.gov.*

LIVERGOOD, Norman: "The new US-British oil imperialism". *www.ermespress.com.*

3. 11 DE SEPTIEMBRE
Y EL MITO DE LAS GUERRAS JUSTIFICADAS

◆

Toda nueva verdad pasa por tres etapas.
Primero, se tiende a ridiculizarla. Luego, se la ataca violentamente.
Finalmente, se la da por evidente por sí misma.

Arthur Schopenhauer

Todos sabemos qué es lo que ocurrió el 11 de septiembre de 2001. ¿Sabemos realmente qué es lo que ocurrió? Ese día las Torres Gemelas cayeron, el Pentágono sufrió un ataque y más de 2.000 personas murieron. En esos episodios, el gobierno de George W. Bush acusó a Osama Bin Laden y su red Al Qaeda de ser los autores de esos atentados. Pocos días después, varios ciudadanos norteamericanos recibieron sobres de correo con bacilos de ántrax. Cinco de ellos murieron. Los ataques adquirieron, entonces, otra dimensión. Con todo este marco, Bush logró aprobar fácilmente en el Congreso la denominada "U.S. Patriot Act", que suspende una variada gama de garantías constitucionales. Bin Laden negó en una primera instancia ser el autor de los atentados. Posteriormente Bush lanzó sus campañas bélicas contra Afganistán e Irak.

La historia oficial la conocemos todos. No vale la pena repetirla aquí. El gobierno norteamericano y los medios de comunicación nos armaron el rompecabezas. Lo cierto es que, tras hacerlo, hay una gran cantidad de piezas que no entran, y sería conveniente que los propios medios de comunicación digan cómo encajan en este juego, sobre todo teniendo en cuenta que la excusa oficial para invadir Irak ha sido la certeza tanto de Bush como de

61

Blair de que el régimen de Saddam Hussein poseía armas de destrucción masiva y que hasta este momento —esto se escribe en agosto de 2003— no han sido encontradas. Aun cuando aparecieran de aquí en más, despertarían serias sospechas dado que la coalición anglo-norteamericana controla el 100% del territorio de Irak, y la entrada y salida del país. Mientras las armas biológicas de Saddam no se encuentran, la prensa denunciaba la aparición de rastros de ántrax en la cuenca del Potomac, cerca de Washington DC. A la luz de todos estos episodios y, sobre todo, dado el ocultamiento de los datos energéticos aportados en el capítulo anterior, vale la pena revisar lo ocurrido el 11 de septiembre de 2001, sobre todo si se tiene en cuenta que Afganistán es un país de paso de importantes gasoductos, y que Irak figura segundo en el ranking de reservas petrolíferas mundiales con cerca de 110 billones de barriles de reservas comprobadas, cifra que casi sextuplica el total de reservas que quedarían en Estados Unidos, con las de Alaska incluidas.

Veamos, entonces, algunos de los cabos sueltos de los atentados.

Treinta Dineros

1. La velocidad de crucero de un Boeing es de cerca de 900 km/h. Para dar en un blanco de sólo cinco pisos, como lo es el Pentágono, o en un ancho reducido, como el de las Torres Gemelas, es necesario contar con pilotos profesionales de vasta experiencia. De otra manera, la posibilidad de errarles a los blancos por centenas de metros es muy alta. Los tres aviones dieron en el blanco. Sin embargo, los pilotos Mohamed Atta, Marwanal Al-Shehhi y Hani Hanjour no podían volar siquiera avionetas. En el caso particular de Hanjour, la academia de aeronavegación donde tomó el curso señaló que era incapaz de volar un Cessna 172. A pesar de ello, los terroristas se hicieron del comando de Boeings 757 y 767, muchísimo más sofisticados de volar. Las informaciones de prensa daban cuenta de que en los alrededores del aeropuerto de Logan, en Boston,

apareció una copia del Corán junto a un manual para el manejo de Boeings, el mismo día en que los aviones fueron presuntamente secuestrados. También se informó que los terroristas habían tomado clases de manejo de pequeños aviones en el estado de la Florida, gobernado por el hermano de George W. Bush, y que habrían interrumpido los cursos antes de aprender a aterrizar.

2. La historia oficial también da cuenta de que 19 ciudadanos de nacionalidad mayoritariamente saudí subieron a los cuatro aviones dispuestos a inmolarse utilizando como única arma los cortapapeles y cuchillos de plástico que les fueron servidos en las meriendas. Con esas armas, redujeron a toda la tripulación, tomaron el comando de las naves y las estrellaron en el blanco, produciendo un máximo efecto destructivo.

3. Durante mucho tiempo, no existió ningún documento fílmico sobre el ataque al Pentágono. Sin embargo, por ser un objetivo militar, se especulaba con la existencia de gran cantidad de cámaras en los alrededores del mismo. Presionado por la aparición de los libros *La terrible impostura* y *Pentagate*, de Thierry Meyssan, el gobierno norteamericano finalmente difundió una breve filmación a la que se le cortaron los cuadros en los que se hubiera podido ver qué clase de objeto impacta contra el Pentágono. En suma, se ve sólo el Pentágono antes del ataque y cuando su pared externa estalla.

4. El objeto que impactó contra el Pentágono lo hizo de forma horizontal. Si hubiera sido el vuelo 77 de American Airlines, habría requerido un giro de 270° y un descenso de 7.000 pies volando a 500 millas por hora. Para poder aproximarse al Pentágono de manera horizontal, a fin de maximizar el daño que se produce al edificio, hubiera sido necesario un vuelo rasante, esquivando líneas de alta tensión abundantes en la zona. La distancia entre los dos polos eléctricos de dichas líneas es menor al ancho de un Boeing. No sólo se hubiera necesitado un piloto profesional, sino uno militar.

5. La lista de muertos del Pentágono proporcionada por la CNN revela que las áreas atacadas fueron las de Presupuesto y Comunicaciones.

6. Para derrumbar las Torres Gemelas con el impacto de aviones, hubiera sido necesario derretir la estructura interna de acero, tal como la explicación oficial sugería. El acero tiene sus primeros problemas en su estructura cuando alcanza los 550° C. El combustible de aviones no supera los 360° C cuando se enciende.

7. Si se hace memoria, se recordará que la torre sur fue golpeada a las 9:03 am, 18 minutos después de que algo impactara en la torre norte. Sin embargo, la torre sur se derrumba primero. El golpe en la torre norte dio casi exactamente en el centro. En cambio, el impacto en la otra dio en un ángulo, por lo que se presume que el daño que sufrió la estructura interna del edificio fue mucho menor. Una gran cantidad de combustible del avión que impactó en la torre sur se consumió inmediatamente en la explosión que fue vista, por lo que no se explica que la estructura haya colapsado primero.

8. El tipo de derrumbe que sufrieron ambas torres sólo es usual en demoliciones controladas. No se explica cómo los pisos superiores a los impactos de los aviones no cayeron en bloque, o en forma fragmentada. En los registros fílmicos, esos pisos superiores se desvanecieron.

9. El testimonio de bomberos y sobrevivientes que escucharon detonaciones en pisos inferiores al lugar del impacto de los aviones fue rápidamente suprimido de los medios de comunicación.

10. La empresa que llegó primero al lugar de los hechos es curiosamente la misma contratante que llegó primero en Oklahoma cuando, según la explicación oficial, Timothy McVeigh, un ermitaño solitario, juntó gran cantidad de explosi-

vos, los colocó cuidadosamente en el Murrah Building, los detonó y escapó a pie, produciendo la muerte de centenas de personas. ¿Cuál es el nombre de esa empresa? Controlled Demolition Inc.

11. Controlled Demolition Inc. vendió inmediatamente a pequeñas empresas chatarreras los restos de acero de las estructuras de las Torres Gemelas, que a su vez exportaron esos restos con suma rapidez a China y Corea, lo que impidió realizar pericias forenses que hubieran podido detectar explosivos, restos de los aviones y el estado real de la estructura interna de las torres.

12. El tipo de demolición (limpia) de ambas torres, que afecta sólo una muy reducida parte de la zona lindera, es común en procesos de demolición controlada, y altamente infrecuente en aquellas producidas por impactos como los de los aviones. En estos últimos casos, si eventualmente cayeran los edificios, lo harían de forma asimétrica e irregular, cosa que no sucedió. Ni siquiera quedó en pie una parte de la estructura metálica interna de los edificios, lo que hubiera sido esperable, si la versión oficial fuese cierta, que ocurriera en ambas torres.

13. Las Torres Gemelas fueron diseñadas para que soportaran el impacto de aviones Boeing 757 y 767, como los que se habrían estrellado. Ya hubiera sido raro que una de ambas hubiera caído. Se desplomaron las dos.

14. El presidente George W. Bush dijo el 4 de diciembre de 2001, lo que puede ser comprobado en el sitio oficial de la Casa Blanca, lo siguiente en una conferencia de prensa:

"PREGUNTA: (...) ¿Cómo se sintió usted cuando escuchó las noticias sobre el ataque?
EL PRESIDENTE: Gracias, Jordan. Bien, Jordan, no podría usted creer en el estado en que estaba cuando escuché acerca del ataque terrorista. Yo estaba en Florida. Y mi jefe de Gabinete, Andy Card —en realidad, yo estaba en un aula hablando acerca de un programa de

lectura que funciona bien. **Yo estaba sentado fuera del aula esperando entrar y vi un avión golpear la torre—, la TV estaba obviamente prendida.** Y yo solía volar, yo mismo, y dije: 'Bueno, qué
pésimo piloto'. Pensé: 'Debe haber sido un horrible accidente'. Pero
estaba sorprendido, y no tuve mucho tiempo para pensar sobre el
tema. **Y estaba sentado en la clase, y Andy Card, mi jefe de Gabinete, quien está sentado aquí conmigo, entró y dijo: 'Un segundo
avión golpeó la torre. América es atacada'."**[1]

El 5 de enero de 2002, Bush volvió a referirse en el Town
Hall de California sobre el hecho de la siguiente forma:

"PREGUNTA: ¿Cuál fue la primera cosa que pasó por su cabeza
cuando escuchó que un avión se estrelló en la primera torre?
EL PRESIDENTE: Sí, bueno. Estaba sentado en una escuela en Florida. Había ido ahí a decirle a mi hermanito qué hacer, y —sólo
estoy bromeando, Jeb (risas)—; es mi madre dentro mío (risas).
De todas maneras, estaba en la cuestión de aprender acerca de un
programa de lectura que funciona bien. Soy un gran creyente de
la educación primaria, y la misma empieza cuando se está seguro
de que cada niño aprende a leer. Por lo tanto, tenemos que poner
el foco en la ciencia de la lectura, no en lo que haga sentir bien o
en lo que suene bien cuando se trata de enseñar a los niños a leer.
(Aplausos.) Estoy intentando poner en funcionamiento mi iniciativa acerca de la lectura.

[1] Texto original: *"Q: (...) how did you feel when you heard about the terrorist
attack? (Applause.)*
*The President: Thank you, Jordan. Well, Jordan, you're not going to believe
what state I was in when I heard about the terrorist attack. I was in Florida. And my
Chief of Staff, Andy Card —actually, I was in a classroom talking about a reading
program that works. I was sitting outside the classroom waiting to go in, and I saw
an airplane hit the tower— the TV was obviously on. And I used to fly, myself, and
I said, well, there's one terrible pilot. I said, it must have been a horrible accident.
But I was whisked off there, I didn't have much time to think about it. And I was
sitting in the classroom, and Andy Card, my Chief of Staff, who is sitting over here,
walked in and said, 'A second plane has hit the tower, America is under attack'."*
www.whitehouse.gov/news/releases/2001/12/20011204-17.html.

De todas maneras, estaba allí sentado, y mi jefe de Gabinete —bueno, primero de todo, **cuando entrábamos al aula vi al avión entrar dentro del primer edificio—. Había una televisión prendida.** Y usted sabe, pensé que se trataba de un error del piloto, y me sorprendía que alguien pudiera cometer tan terrible error. Y algo había mal con el avión, o (...) de todas maneras, **estaba allí sentado, escuchando el informe, y Andy Card entró y dijo: 'América es atacada'."**[2]

Por dos veces, entonces, el presidente Bush se refirió al primer ataque a las torres. Sin embargo, ninguna cadena pública ni privada de televisión, grande, mediana ni chica, transmitió en vivo el primer atentado. ¿Cómo hizo Bush para ver el primer impacto contra las torres? Hasta dos años más tarde, sólo habría un registro fílmico —y para peor, amateur— del primer impacto. En dicho registro, hecho por dos hermanos franceses que estaban casualmente filmando un documental sobre los bomberos en el bajo Manhattan, sólo se ve al avión un segundo y medio antes de impactar en las torres. Obviamente, ningún canal de TV abierta ni de cable estaba transmitiendo en directo el impacto contra la primera torre. Tampoco hubo transmisión alguna en diferido que no proviniera del registro fílmico casi "amateur" de los hermanos Naudet. Lo más importante y central de todo es que George W. Bush se "vendió" a sí mismo

---

[2] Texto original: *"Q: What was the first thing that went through your head when you heard that a plane crashed into the first building?*
The President: Yes. Well, I was sitting in a schoolhouse in Florida. I had gone down to tell my little brother what to do, and —just kidding, Jeb (laughter) And— it's the mother in me (laughter). Anyway, I was in the midst of learning about a reading program that works. I'm a big believer in basic education, and it starts with making sure every child learns to read. And therefore, we need to focus on the science of reading, not what may feel good or sound good when it comes to teaching children to read. (Applause.) I'm just getting a plug in for my reading initiative. Anyway, I was sitting there, and my Chief of Staff —well, first of all, when we walked into the classroom, I had seen this plane fly into the first building. There was a TV set on. And you know, I thought it was pilot error and I was amazed that anybody could make such a terrible mistake. And something was wrong with the plane, or- anyway, I'm sitting there, listening to the briefing, and Andy Card came and said, 'America is under attack'." www.whitehouse.gov/news/releases/2002/01/20020105-3.html.

completamente solo, sin que nadie lo interrogara de manera inquisitiva, por dos veces, acerca de lo que vio en el primer atentado: no tenía causa para mentir, pero si lo vio, significa que le trasmitieron el atentado por circuito cerrado de televisión, y que sólo ingresó a la escuela donde lo esperaban una vez que estuvo seguro de que la operación había sido exitosa. Que en aquella escuela en Miami el presidente Bush estaba con la cabeza en otro lado lo explica el material fotográfico, que muestra cómo leía un libro escolar al revés.

15. En los días previos a los atentados, sobre todo entre el 6 y el 7 de septiembre, hubo una gran e inusual actividad en Wall Street con opciones de venta de acciones de American Airlines y United Airlines. En el caso de American Airlines, se negociaron nada menos que 4.744 contratos de venta contra los alrededor de 300 usuales por día. Esta información apareció en una gran cantidad de medios de comunicación. También se dijo que iba a haber una investigación al respecto, lo que hubiera llevado fácilmente a detectar quién sabía que se iban a realizar los atentados. Las operaciones financieras habían sido realizadas en el Deutsche Bank/ABBrown. Nunca se reveló quién fue el que compró esas opciones de venta. Lo que sí se sabe es que hasta 1998 el Deutsche Bank/ABBrown era dirigido por A.B. "Buzzy" Krongard, desde esa fecha director ejecutivo de la CIA.

16. La tesis oficial dice que uno de los cuatro aviones presuntamente secuestrados se estrelló en las cercanías de Pittsburgh, al arrebatar los pasajeros el control de la nave a los terroristas. Sin embargo, restos de la nave fueron encontrados al otro día a ocho millas del lugar del impacto, por lo que no cabe más que pensar que en realidad ese vuelo estalló en el aire.

17. Como hemos explicado, para que las torres se cayeran era necesario que la estructura interna de acero se derritiera. Sin embargo, visualmente se observa cómo los incendios producidos por los impactos se apagan lentamente, por lo que la temperatura debía estar reduciéndose al momento de las demoliciones.

18. Thierry Meyssan, en *La terrible impostura* y en su sitio oficial de Internet Réseau Voltaire, demuestra cómo, en el caso del Pentágono, el tamaño del Boeing que supuestamente impactó contra el mismo directamente no entra en el hueco producido.

19. En las fotos tomadas en el área del Pentágono, ni bien producido el desastre, no aparecen rastros del fuselaje del avión, de cuerpos ni de equipaje alguno.

20. La CIA respondió a Meyssan que la ausencia de rastros de fuselaje se debió a que el aluminio del mismo se consumió íntegramente en el impacto. Meyssan preguntó a la CIA cómo es que los familiares de los muertos en el Pentágono recibieron urnas con las cenizas de los fallecidos, identificados por las huellas dactilares, si las temperaturas habían derretido al aluminio. No obtuvo respuesta.

21. Meyssan también comenta en *La terrible impostura* que varios de los supuestos 17 terroristas inmolados en el ataque están vivos, en Arabia Saudita, y preguntándose cómo es que murieron en los ataques.

22. La explicación oficial acerca del derrumbe de las torres establecía que el mismo fue posible porque las vigas que ligaban la estructura interna con la externa eran extraordinariamente finas y fueron debilitadas hasta colapsar por el impacto de los aviones y el calor de los incendios. Sin embargo, en primer lugar, las conexiones entre la estructura central y la pared externa debieron ser lo suficientemente fuertes como para soportar que la carga del peso del viento, que normalmente impactaba en las torres, se trasmitiera hasta el núcleo central de ellas. De lo contrario, los pisos se habrían torcido por el viento. En segundo lugar, suponer que había conexiones livianas entre la pared externa y el núcleo central lleva un cálculo del acero total de las torres de sólo dos tercios del total existente en las mismas. En tercer lugar, hay evidencia fotográfica de que dentro de las to-

rres había fuertes y sólidas conexiones entre la pared externa y el núcleo central.

23. Aunque las ediciones periodísticas de material fílmico del 11 de septiembre no suelen mostrar imágenes completas de las torres anteriores a su caída, varios telespectadores recuerdan haber visto en la trasmisión original explosiones en las mismas cerca de la planta baja.

24. La velocidad del derrumbe de las torres puede calcularse en seis pisos por segundo. Esa velocidad es sólo compatible con un total colapso de la estructura central de las mismas. Un colapso de esas características requeriría explosiones en niveles significativamente más bajos de los niveles en los que impactaron los aviones. Si sólo los aviones hubieran producido el derrumbe, la demolición resultante habría sido de piso en piso, a una velocidad máxima de un piso por segundo, lo que hubiera hecho demorar la caída de cada una de las torres en más de un minuto.

25. Los sismógrafos de la Universidad de Columbia, ubicados 21 millas al norte del World Trade Center, grabaron una extraña actividad sísmica el 11 de septiembre de 2001 que aún no ha sido explicada. Mientras que los impactos de los aviones causan mínimos temblores de tierra, las agujas de los sismógrafos registraron significativos movimientos antes de cada derrumbe. Dichos movimientos sísmicos serían compatibles con detonaciones o explosiones de gran poder cercanos a la planta baja de ambas torres.

26. La cepa con la que se produjo el ataque de ántrax es científicamente denominada Ames. Su producción se realiza únicamente en Estados Unidos.

27. En una serie de notas aparecidas nada menos que en el *New York Times* con fechas 4 de enero, 2 de julio, 3 de julio, 12 de julio, 19 de julio, 13 de agosto y 17 de septiembre de 2002, el

periodista Nicholas Kristof descubre que el mayor sospechoso de los envíos del ántrax es un científico que trabaja para el gobierno de George W. Bush, llamado Steven Hatfill, quien habría colaborado con dos regímenes racistas, Sudáfrica y Rhodesia, país este último donde hubo una epidemia de ántrax afectando a 10.000 granjeros negros entre 1978 y 1980. La Federación de Científicos Americanos, por medio de la doctora Barbara Rosenberg, expresó también que el FBI sabía que el autor de los ataques era un norteamericano con una evidente conexión con el programa de biodefensa, pero no lo detenía. Este escándalo con el tema ántrax nunca llegó a reproducirse en los medios de comunicación argentinos. Sin embargo, las notas del *New York Times* tuvieron gran repercusión interna y produjeron el cese inmediato de la teoría que venía difundiéndose masivamente en los medios de comunicación acerca de que Saddam Hussein le había facilitado el ántrax a Osama Bin Laden. A partir de las notas de Kristof, comienza a instalarse en los medios de comunicación la teoría de las supuestas armas de destrucción masiva de Hussein, y pasa al archivo la tesis anterior de un eje Osama-Saddam, en el que Saddam habría ayudado a Osama brindándole ántrax. El cese de la información a escala masiva en los medios de comunicación acerca del tema ántrax se debe al alto perfil que cobraba este tema en el *New York Times*. Lo cierto es que la muy alta difusión que tuvieron las notas de Kristof forzaron al FBI a admitir que uno de los principales sospechosos era un científico de la administración Bush. Precisamente, uno de sus funcionarios: Steven Hatfill. Pero el FBI decidió no ir mucho más allá. Investigar a fondo podría haber ayudado a revelar una verdad horrorosa. No hacerlo en absoluto hubiera levantado más sospechas y publicidad sobre el caso. Por lo tanto el FBI abrió una especie de "dossier muerto" sobre el tema. Sin embargo, un simbólico acto de justicia fue efectuado por la Universidad Estatal de Luisiana, donde Hatfill era director asociado en el Centro Nacional para la Investigación y el Entrenamiento Biomédico. Esa casa de estudios expulsó a Hatfill el 1º de julio de 2002, según informó, entre otros, nada menos que la propia CNN (*http://www.cnn.com/2002/US/09/03/hatfill.lsu.fired/index.html*). El asunto ántrax-Hatfill levantó una gran polvareda en EE.UU. La prensa ligada a los megamedios de comunicación dio todo el bajo perfil que pudo al asunto. Aun así, no pudo escapar a su tratamiento. Sin embargo, es extraño que un tema tan urticante como éste haya sido escasamente tratado en el exterior de EE.UU. Una pista acerca de la causa de ello podremos obtenerla cuando nos ocupemos de quienes son los dueños de las principales agencias de noticias mundiales y quienes las manejan. ¿Qué fue del periodista Kristof, quien "destapó" el tema en el *New York Times*? Fue "premiado" con un transitorio destino a Bagdad hacia fines de 2002, justo cuando se esperaban inminentes bombardeos aéreos contra la capital iraquí como los que había efectuado más de una década atrás George Bush padre. Allí, como corresponsal de guerra, Kristof descubrió, entre otras cosas, que el supuestamente despótico Saddam Hussein había escrito y publicado tres novelas de historias de amor y heroísmo bajo un seudónimo...

28. Exactamente el 16 de mayo de 2002 un gran escándalo se desata en EE.UU. La corresponsal *full-time* de la cadena ABC en la Casa Blanca, Ann Compton, quien al momento de los atentados se encontraba junto a George W. Bush en Florida cubriendo la visita del presidente a la escuela, declaró que Bush estaba al tanto de los atentados antes de que éstos se produjeran. La prensa la comenzó a presionar entonces para que diga cómo lo sabía. Compton, entre la espada y la pared, solo atinó a decir: "Lo leí en sus ojos". El escándalo trascendió. Entre otros, la senadora Hillary Clinton llevó el tema al Senado, y hasta el diario *New York Post* tituló a letra catástrofe: "BUSH KNEW" ("Bush sabía"). Dado que Compton no era una periodista más, sino la más antigua corresponsal en la Casa Blanca (desde 1974), la primera mujer corresponsal destacada allí, y la persona más joven en ocupar ese puesto, el revuelo fue grande. Más aún si se tiene en cuenta que representaba nada menos que a la cadena ABC, una de las "tres grandes". La CNN llegó a reportar que Compton incluso mencionó que varias de las fotos de Bush del 11 de septiembre de 2001 son trucadas (*http://www.cnn.com/2002/ ALLPOLITICS/05/16/column.billpress/index.html*). Sin embargo,

en forma extraña, a los pocos días el tema "bajó" abruptamente de la prensa. Buena parte de la información acerca de Compton incluso fue suprimida de la red (sobre todo la de la propia Compton en el sitio de la ABC). Pero lo más relevante del caso es la muy poca información que de este tema se supo en el exterior de EE.UU. Parece ser que las principales agencias de noticias casi no hicieron mención de la cuestión, y la prensa extranjera casi no se enteró de lo que estaba ocurriendo, por lo que para el público de terceros países no hubo información alguna. ¿Es esto normal?

A propósito de ello, vale la pena citar que con posterioridad a este tema, Ann Compton se ha transformado, por arte de magia, en una de las más complacientes reporteras cuando se trata de hacer preguntas a George W. Bush...

29. Los familiares de Bin Laden que residían en EE.UU. fueron evacuados hacia Arabia Saudita sólo 48 horas tras los atentados. No fueron interrogados por los servicios de inteligencia norteamericanos acerca del paradero ni las actividades de Osama. Al mismo tiempo, en menos de 24 horas, y casi sin los peritajes suficientes, los medios masivos de comunicación ya aseguraban de manera concluyente que el autor de los atentados era la red Al Qaeda de Bin Laden.

30. Extrañamente, las Torres Gemelas, que habían sido construidas por iniciativa de los hermanos Rockefeller, fueron alquiladas por 99 años en unos 3 mil millones de dólares, sólo siete semanas antes de los atentados, por un empresario. Su nombre, Larry Silverstein, quien estaría reclamando más de 7 mil millones de dólares a la aseguradora suiza Re. Sin embargo, llama la atención que el estado de Nueva York haya tomado en sus manos la reconstrucción del lugar, que podría terminar siendo realizada con fondos públicos. Ahora bien, ¿quién es Larry Silverstein? Aparte del *leasing* de las Torres Gemelas, Silverstein posee el club nocturno "Runway 69" en Queens. Su cabaret se vio ligado a escándalos por tráfico de heroína de Laos, lavado de dinero y corrupción a la policía de Nueva York. ¿Cómo un

empresario de estas características pudo acceder al alquiler por 99 años de las Torres Gemelas siete semanas antes de su colapso?... Misterio (ver *http://www.aztlan.net/sstein2.htm*).

Hasta aquí algunos de los muchos cabos sueltos de la versión oficial del ataque terrorista que sufrieran los Estados Unidos. Algunos de ellos, especialmente llamativos, porque dan pie a sospechar la existencia de negocios grandes, medianos y pequeños alrededor del horror de los atentados. A raíz de éstos no sólo la administración de Bush comenzó a tener un pretexto para invadir países estratégicamente esenciales desde el punto de vista energético. También pudo aprobar en el Congreso una legislación que suspende en Estados Unidos garantías constitucionales esenciales, como la "U.S. Patriot Act" aprobada por el Senado norteamericano el 24 de octubre de 2001 por 99 votos contra 1. Esta ley de 120 páginas, elaborada en el tiempo récord de unas pocas semanas, autoriza al gobierno norteamericano a suspender el *habeas corpus*, interceptar comunicaciones efectuadas por medios electrónicos o telefónicos, modificar la designación de jueces, realizar espionaje de *voice-mails*, recabar información de inteligencia en el exterior, aplicar sanciones comerciales, realizar el espionaje financiero en cuentas bancarias privadas de cualquier individuo sospechoso, tanto en Estados Unidos como en el exterior, levantar el secreto bancario, establecer restricciones para viajar a Estados Unidos y desde ellos, limitar la permanencia en Estados Unidos de extranjeros, etc., etc. La ley es lo suficientemente meticulosa y detallista como para pensar que no puede ser elaborada y aprobada en menos de un mes y medio. Muchas voces se han levantado indicando que fue redactada antes del 11 de septiembre de 2001. El gobierno de Bush también aprobó la Executive Order 13.233, que autoriza a un presidente o ex presidente norteamericano a mantener en secreto información confidencial que por el paso del tiempo deba ser revelada. Incluso, si el presidente en cuestión fallece, su familia puede optar por seguir manteniendo el secreto. En septiembre de 2002, la Casa Blanca lanza un documento denominado "The National Security Strategy of the United States of America", por el cual suplanta la denominada "doctrina de la seguridad nacional" por la "doctrina del ataque preventivo". Por medio de esta legislación, el gobierno de Bush se reserva el derecho de atacar preventivamente cualquier nación del mundo que considere sospechosa de albergar intenciones terroristas. Además, la administración Bush creó el denominado Homeland Security Department, otorgándole la estructura de un superministerio cuya función es investigar y prevenir la posibilidad de cualquier ataque terrorista interno, para lo que incluso recompensa con efectivo la delación de actividades sospechosas entre vecinos.

Como hemos visto, muchos cabos sueltos han quedado de lo ocurrido el 11 de septiembre de 2001. Sin embargo, de algo no caben dudas: la administración Bush-Cheney ha podido utilizarlo para invadir terceros países y para ejercer un mucho mayor control interno de su población. Nada hemos dicho hasta ahora de Osama Bin Laden. ¿Quién es realmente este personaje?

Osama en la era de Clinton

Los primeros problemas graves entre Osama Bin Laden y Estados Unidos datan de 1990, cuando tras una estrecha colaboración con la CIA para vencer al régimen soviético de fines de los '70 y comienzos de los '80 en Afganistán, Osama, según la versión oficial, "rompe lanzas" con George Bush padre, al oponerse a que sean los norteamericanos quienes desalojen a Saddam Hussein de Kuwait. Osama, según fuentes oficiales, deseaba generar una coalición panárabe para deponer a Saddam Hussein. De allí que resulte doblemente ridículo suponer una posterior colaboración entre Saddam Hussein y Osama Bin Laden. Cuando Bush padre, luego de la guerra, decide dejar las tropas norteamericanas que habían ganado la guerra en territorio saudí, rompiendo su palabra de evacuarlas apenas concluyera el conflicto, las relaciones con Osama empeoran. No ocurre lo mismo con los vínculos entre el clan Bin Laden y el gobierno de Bush padre, dado que al clan Bin Laden, primer emporio de la construcción en Arabia Saudita, se le adjudican las obras para edificar las bases permanentes norteamericanas en aquel país.

La primera confrontación grave con Osama ocurrió en 1992, cuando Estados Unidos desembarcó en Somalía bajo la bandera de la ONU. En esa invasión antiguos combatientes afganos participaron de una operación en la que murieron 18 soldados norteamericanos. Estados Unidos culpó a Osama Bin Laden. El gobierno saudí le retiró la ciudadanía y se refugió en Sudán, donde realizó inversiones de gran envergadura. Posteriormente, Sudán expulsó a Osama Bin Laden al ser acusado de fomentar un complot para matar al presidente egipcio Hosni Mubarak, lo que implicó su retorno a Afganistán.

En junio de 1996 fue acusado de instigar un atentado contra una base militar en Arabia Saudita, en el que murieron 19 soldados norteamericanos. En agosto de 1998 se produjeron dos explosiones simultáneas en las embajadas norteamericanas en Kenia y Tanzania, que causaron casi 300 muertos y 4.500 heridos. El gobierno de Clinton acusó de estos atentados a Bin Laden, quien con su red Al Qaeda tenía base en Afganistán al amparo del régimen fundamentalista talibán de ese país. Al respecto, vale la pena citar a Peter Bergen, quien en su obra *Guerra Santa S.A.* nos sugiere mucho sobre el propio origen del régimen talibán. El lector les podrá dar a estas palabras su verdadera dimensión a lo largo del capítulo, pero muestran claramente cómo el movimiento terrorista de Bin Laden no sólo fue sostenido por Paquistán y su servicio secreto, sino que su propio inicio hubiera sido imposible sin la ayuda de este país, principal aliado de EE.UU. en la zona:

"Los partidos islámicos paquistaníes, y la poderosa agencia de espionaje del Estado, Inter Service Intelligence (ISI), desempeñaron un papel decisivo en el ascenso al poder de los talibanes... De hecho todo empezó con un grupo de estudiantes religiosos afganos que, aparentemente salidos de la nada, tomaron la ciudad meridional de Kandahar en 1994... En 1999 un funcionario estadounidense destinado a Paquistán me sorprendió con la noticia de que diez mil de los treinta mil soldados talibanes procedían de Paquistán. Un asombroso 30% largo."

Lo cierto es que, a pesar de que Afganistán para sobrevivir necesita de la ayuda del mayor socio histórico de EE.UU. en la zona dado que el combustible que se consume en Afganistán se introduce vía Paquistán, y hasta para recibir llamadas telefónicas del exterior los afganos deben intermediar las llamadas por medio de una central paquistaní, en mayo de 2001, poco antes de la caída de las Torres Gemelas, Donald Rumsfeld, secretario de Defensa de Bush, dijo a la prensa que Bin Laden no sólo poseía armas bacteriológicas y químicas sino que estaba a punto de ensamblar una bomba atómica. La persecución a escala mundial contra Osama Bin Laden se produce luego de los atentados del 11 de septiembre de 2001.

Un punto que debería llamar la atención de cualquier lector es el nombre que Bin Laden eligió para su grupo terrorista: Al Qaeda. Se supone que los sectores árabes fundamentalistas escogen nombres con alegorías religiosas para bautizar a esos grupos. Sin embargo, un supuesto terrorista mundial a gran escala, quizás el oficialmente más fanático del mundo, Bin Laden, eligió el modesto y tímido nombre de Al Qaeda. ¿Qué significa Al Qaeda? Nada de "guerra santa" ni de "Alá sea loado" ni de "viva el profeta". Al Qaeda significa sólo "base de datos". Se trataba de la base de datos que Bin Laden iba construyendo con los fanáticos musulmanes que se acercaban a Afganistán para combatir a la Unión Soviética a inicios de los años '80. Es como si en la Argentina Mario Firmenich y Juan Manuel Abal Medina hubieran bautizado con el nombre de "lista total" al movimiento Montoneros, o en España le hubieran puesto el nombre de "somos 1.238" al ETA vasco. Este dato, que puede a esta altura resultar irrelevante, también cobrará mayor dimensión más tarde.

Según los franceses Jean-Charles Brisard y Guillaume Dasquié, en su obra *The forbidden truth*, los grupos petroleros norteamericanos estaban muy preocupados porque Moscú y Pequín multiplicaban acuerdos para construir gasoductos que podrían monopolizar el transporte del gas de Asia Central. En el verano del año 2000, había empezado a funcionar un oleoducto ruso que pasaba a través del mar Caspio mientras que su competidor, un oleoducto norteamericano que desembocaría en Turquía, seguía siendo sólo un proyecto. Para Brisard y Dasquié, si la situación seguía así, pronto los campos de petróleo y de gas de Kazajstán, Turkmenistán y Uzbekistán, que pertenecerían a compañías norteamericanas, serían exclusivamente conectados a oleoductos y gasoductos controlados por Rusia y China. Las negociaciones con los talibanes habían sido hechas en un principio por una ex funcionaria de la CIA: Christina Rocca.

En su obra, profusamente difundida en la prensa occidental, Brisard y Dasquié narran, además, una muy curiosa situación acaecida mientras Estados Unidos supuestamente deseaba extraditar a Bin Laden. Concretamente mencionan que en julio de 1999 Clinton recibió oficialmente al primer ministro paquistaní Sharif en Washington. En esa reunión el primer ministro paquistaní aceptó pedirle al jefe de su servicio secreto (ISI) que viajara a Afganistán para tratar de convencer a los talibanes de que extraditaran a Osama Bin Laden. El 12 de octubre de 1999, justo cuando se iba a resolver el cierre de los campos de entrenamiento de terroristas en la frontera entre Afganistán y Paquistán, y la posible entrega de Bin Laden, el general Musharaf da un golpe de Estado en Paquistán, derroca a Sharif, y los esfuerzos para entregar a Bin Laden y acabar con los campos de entrenamiento de terroristas quedan en la nada. Se trata de un dato más que sugestivo, dado que Paquistán sigue siendo aún hoy un aliado incondicional de Estados Unidos. El servicio secreto paquistaní (ISI) es uno de los mejores socios que la CIA posee. Por lo tanto, es impensable que un golpe de Estado en Paquistán haya podido tener lugar sin la admisión tácita de la CIA y de Estados Unidos. Cabe preguntarse, entonces, ¿deseaban los norteamericanos y su central de inteligencia capturar verdaderamente a Bin Laden? ¿O decían que sí pero en realidad era que no? A pesar de la muy sólida fundamentación de Brisard y Dasquié, apoyada en mucha información relevante, es necesario preguntarse la real dimensión del petróleo y el gas en Asia Central y el Cáucaso. Una gran cantidad explicaría por qué es una "zona caliente". Pues bien, hasta ahora no se descubrió en Afganistán una sola gota de petróleo. Sus reservas de gas natural son muy escasas: sólo de 3 trillones de pies cúbicos. Las reservas mundiales de gas natural son cerca de 5.700 trillones de pies cúbicos. Se suele mencionar usualmente que Afganistán es un importante país de paso de gasoductos. Sobre todo lo es si se desea exportar gas vía Paquistán o vía India. Pero, como se ve, casi no posee combustibles fósiles.

Estados Unidos tenía la alternativa de sacar el gas a través de los puertos turcos, como bien señalaron Brisard y Dasquié. Pero no había comenzado a construir el gasoducto. Victor Ducrot, en su libro *Bush y Bin Laden S.A.*, da una explicación de por qué: si bien un oleoducto, a través de Turquía, no sólo era factible sino que hubiera evitado guerras, invasiones y horrores varios padecidos en este milenio, las petroleras anglo-norteamericanas no desean por el momento sobrecargar la salida de petróleo a través de países de Medio Oriente. Por lo tanto, si la opción era hacerlo a través de India y Paquistán, Afganistán se convertía en una pieza vital. Pero debemos seguir haciéndonos la pregunta: ¿de cuánto petróleo y gas natural estamos hablando?

Según la agencia oficial EIA, entre el Cáucaso y Asia Central sólo existen reservas comprobadas de petróleo por 16 billones de barriles (9 billones en Kazajstán y 7 billones en Azerbaiján), lo que representa sólo 1,5% del petróleo existente y descubierto en el mundo. O sea, muy poco. Entre toda Asia Central y el Cáucaso no juntan ni la octava parte del petróleo comprobado en Irak. Las reservas de gas natural son, sí, algo más importantes: 267 trillones de pies cúbicos[3]. De todas maneras, se trata sólo de 4,9% de las reservas de gas natural existentes en todo el mundo. Para tener una idea de lo que estamos hablando, es necesario tener en cuenta que en los países del Golfo Pérsico hay 2.000 trillones de pies cúbicos de gas natural, y en Rusia unos 1.700 trillones de pies cúbicos. Entre la zona del golfo y Rusia se llega a 70% de las reservas de gas natural mundiales.

¿Qué implica todo esto? Que difícilmente Estados Unidos e Inglaterra se hayan embarcado en una campaña bélica para con-

---

[3] Distribuidos de la siguiente forma: 101 trillones en Turkmenistán, 66 trillones en Uzbekistán, 65 trillones en Kazajstán, 30 trillones en Azerbaiján y 3 trillones en Afganistán.

trolar Afganistán, sólo para tener una zona de paso alternativa para el 1,5% del petróleo mundial y el 4% del gas mundial. Evidentemente, hay algo más atrás. En primer lugar, puede pensarse que el negocio de producción y tráfico de armas depende, para florecer, de que haya guerras. Si hay guerras, aumenta el consumo e inversión en armas. El negocio de armamentos está casi monopolizado a través de unas pocas empresas norteamericanas e inglesas (Northrop Grumman, Lockheed Martin, Raytheon, Dyncorp, United Technologies, General Dynamics y Boeing-McDonnell Douglas). Dichas empresas suelen ser manejadas y conducidas por los mismos directivos y ex directivos del Pentágono, electos por los presidentes norteamericanos, financiados masivamente por el ya descripto oligopolio banquero-petrolero de los clanes Rockefeller, Rothschild, Morgan, Harriman, etc.

La cada vez más escasa prensa independiente norteamericana suele llamar a este proceso mediante el cual altos funcionarios del Pentágono y de la CIA alternan cargos ejecutivos en bancos, petroleras y empresas de armamentos: *"the revolving door"* (o sea, "puerta giratoria"). Este factor adquirió características escandalosas cuando el número dos del Pentágono, Richard Perle, debió renunciar al comprobarse que estaba en negocios personales con empresas de armamentos inmediatamente antes de la campaña en Irak.

Pero el negocio de armas, si bien voluminoso y muy lucrativo, tampoco alcanzaría a explicar que se lleven a cabo una guerra y un gasto militar permanente financiados a través de los bolsillos de los trabajadores norteamericanos, en una zona en la que casi no hay petróleo, y si bien hay gas natural, tampoco es extraordinariamente abundante. Menos aún, si hay posibilidades de sacar el gas vía Turquía.

Podemos comenzar a tener una idea más clara de qué otros factores hay en juego y que puedan explicar la campaña en Afganistán y el golpe de Estado que hemos citado antes en Paquistán. Como se recordará, el anterior primer ministro paquistaní, Sharif, según Brisard y Dasquié, estuvo a punto de concretar la pacífica entrega de Osama Bin Laden y el fin de los campamentos de terroristas en 1999. Un golpe militar lo derrocó y lo impidió aunque, como ya dijimos, Paquistán era el mejor aliado de Estados Unidos en la región, y un golpe de Estado era imposible sin la anuencia de la CIA. Prestemos mucha atención a lo siguiente:

En su libro *Dreaming war. Blood for oil and the Cheney-Bush junta*, el escritor e historiador Gore Vidal señala que el matutino paquistaní *The News*, un día antes del atentado del 11 de septiembre, mencionaba que el jefe del servicio secreto paquistaní (ISI), Mamoud Ahmed, llevaba ya una semana en Washington, levantando especulaciones debido a las misteriosas reuniones que tenía en el Pentágono y el National Security Council. Vidal también señala que *The Times of India* posteriormente informa acerca de la renuncia de Mamoud Ahmed debido a que India mostró sus evidentes lazos con uno de los terroristas que volaron el World Trade Center. Incluso, ese matutino informa que las autoridades norteamericanas pidieron su remoción luego de confirmar que Ahmed hizo una transferencia bancaria de 100 mil dólares al terrorista Mohamed Atta, para que realizara los atentados. En posteriores reportajes Vidal se muestra sorprendido de la escasa importancia que la prensa dio a este tema, y a la falta de investigaciones oficiales al respecto.

No le falta razón si se tiene en cuenta, entonces, que, de ser correcta la información proporcionada en el libro de Vidal, los atentados los habría financiado el jefe de la agencia de espionaje paquistaní, el mayor colaborador de la CIA en la región, quien, por si eso fuera poco, estaba en Washington en el preciso momento en que se cometieron, en conversaciones secretas. Si esto es cierto, la información que proporcionan Brisard y Dasquié adquiere otra dimensión: las autoridades norteamericanas decían que querían encontrar y extraditar a Osama Bin Laden. Pero ¿era esto realmente cierto?

Thierry Meyssan señala en *La terrible impostura* que Osama Bin Laden, pocos meses antes de los atentados, viajó a Dubai para hacerse atender una afección renal, y que incluso fue visitado por un miembro de la CIA. Por lo tanto, ¿deseaba realmente Estados Unidos extraditar a Bin Laden o se trataba de una declaración de la boca para afuera? ¿Deseaba Estados Unidos realmente terminar con los campos de entrenamiento de terroristas? Aun si Bin Laden y Al Qaeda fueran una excusa para ir a la guerra, ¿una guerra por 1,5% del petróleo mundial y 4% del gas mundial? ¿Sólo por eso? ¿Una guerra para producir, vender y probar armas? ¿Basta con eso? Puede ser, pero... hay más para ahondar.

Para encontrar la respuesta a estos interrogantes, podemos referirnos al libro *War and globalization*, de Michel Chossudovsky. La estrecha relación entre la CIA y el ISI, cuya cabeza habría financiado los atentados, provenía desde el año 1979 cuando ambas centrales conjuntamente lanzaron una campaña para transformar la Jihad afgana contra la Unión Soviética en una guerra global de todos los Estados musulmanes contra Moscú. Incentivados por la CIA y el ISI, 35.000 musulmanes fanáticos de más de cuarenta países migraron a Afganistán entre 1982 y 1992. Decenas de miles más viajaron a Paquistán.

Interrogado el ex asesor de seguridad del presidente Carter, Zbigniew Brzezinski, acerca de ésta, la mayor operación de la CIA de toda la historia, lanzada en 1979, sobre si no había que lamentar la incentivación norteamericana del fundamentalismo islámico, respondió: "¿Qué es más importante para la historia del mundo? ¿Los talibanes o el colapso del imperio soviético? ¿Unos musulmanes enojados o la liberación de Europa Central y el fin de la Guerra Fría?"[4]

Chossudovsky revela que la CIA financiaba secretamente la Jihad islámica a través del ISI. Más aún, la relación entre la CIA y el ISI se había fortalecido cuando el general Zia Ul Haq dio un golpe de Estado en Paquistán hacia fines de los años '70. De acuerdo con Chossudovsky, Paquistán era más agresivamente anti-soviético que los propios Estados Unidos. Poco antes de que la Unión Soviética invadiera militarmente a Afganistán en

---

[4] Texto original: "What is most important to the history of the world? The Taliban or the collapse of the Soviet empire? Some stirred-up Moslems or the liberation of Central Europe and the end of the Cold War?"

1980, Zia Ul Haq envió al jefe del ISI a desestabilizar los Estados soviéticos de Asia Central. La CIA sólo estuvo de acuerdo con esto recién en 1984.

La CIA era más cauta que los paquistaníes. Ambos Estados, Paquistán y Estados Unidos, tomaron una postura engañosa sobre Afganistán, demandando públicamente un acuerdo, mientras privadamente creían que la escalada militar era la mejor metodología para debilitar a los soviéticos. Se trata de la misma que emplearon respecto de Bin Laden: buscarlo, pero nunca encontrarlo.

A la luz de todo esto: ¿cómo puede ser entonces que la financiación de los atentados a las Torres Gemelas las haya realizado el jefe del ISI? ¿Cómo puede ser que, habiéndose comenzado a divulgar esta información, el gobierno estadounidense no haya lanzado una investigación acerca de si su principal socio en Asia Central no había colaborado en forma directa en la preparación de los atentados? ¿Qué rol desempeñó en todo esto la CIA? ¿Qué negocios hay en Afganistán, además de los gasoductos, que puedan ayudar a explicar la guerra permanente en esa región?

Chossudovsky también proporciona al respecto información reveladora. Según la DEA (Drug Enforcement Agency), Afganistán producía más de 70% de la cosecha de opio mundial, con el cual se elabora la heroína, en el año 2000. En dicho año, el gobierno talibán prohibió el cultivo de opio, por lo que la producción mundial colapsó en más de 90%. Según cifras de organismos de las Naciones Unidas, de más de 82.000 hectáreas afganas cultivadas en el año 2000, solamente quedaron 7.600 hectáreas con cultivo de opio en el año 2001. En el año 2002, una vez que Estados Unidos derrocó al gobierno talibán y colocó en su lugar a Hamid Karzai, la producción afgana de opio volvió a aumentar a entre 45.000 y 65.000 hectáreas cultivadas. El narcotráfico mueve por año unos 500 mil millones de dólares. Se calcula que el negocio de la droga en Afganistán puede llegar a ser fuente hasta de unos 200 mil millones de dólares anuales. En un artículo titulado "Osama Bin Laden, un guerrero de la CIA", el 23 de septiembre de 2001, Chossudovsky brinda más información. Textualmente dice lo siguiente:

"La historia del comercio de drogas en Asia Central está estrechamente relacionada con las operaciones encubiertas de la CIA. Antes de la guerra soviético-afgana, la producción de opio en Afganistán y Paquistán estaba dirigida a los pequeños mercados regionales. No había una producción regional de heroína. Al respecto, el estudio de McCoy confirma que en los años de la operación de la CIA, las tierras fronterizas entre Afganistán y Paquistán se volvieron el productor número uno del mundo, proveyendo 60% de la demanda estadounidense. En Paquistán, la población adicta a la heroína ascendió de casi cero en 1979 a 1, 2 millones en 1985. Un incremento más acelerado que en cualquier otra nación. Los activos de la CIA controlaban este comercio de heroína. En cuanto a los guerrilleros mujaidines tomaban el territorio en Afganistán, ordenaban a los campesinos plantar opio, como un impuesto revolucionario. Cruzando la frontera, en Paquistán los líderes afganos y los cárteles locales bajo la protección de la inteligencia paquistaní (ISI) operaban cientos de laboratorios de heroína. Durante esta década, la agencia estadounidense de combate a las drogas (DEA) no logró en Islamabad arrestos ni detenciones importantes."

Podemos advertir, entonces, que la imagen de un Osama Bin Laden a la vez multimillonario y religioso fanático puede resultar más que irreal. Cuesta pensar que Bin Laden, financiado por el ISI paquistaní, haya estado ocupado exclusivamente en el entrenamiento de fanáticos religiosos, potenciales suicidas, mientras a su lado, bajo su directa vista, el ISI y los activos de la CIA que Chossudovsky señala se llenaban los bolsillos mediante el narcotráfico.

En este punto, vale la pena señalar lo siguiente: el presupuesto anual de la CIA ronda los 35 mil millones de dólares. Con ese dinero, la CIA debe realizar operaciones secretas en prácticamente todo el mundo. A fin de tener una acabada idea de cuánto dinero es 35 mil millones de dólares para gastar en todo el mundo en un año, vale la pena citar que esa cifra equivale al patrimonio de sólo un fondo de inversión mediano en EE.UU. Ocurre que el presupuesto de la CIA debe ser votado por el Congreso norteamericano, y éste no incluye partidas para operaciones ilegales o criminales. Si la CIA sólo contara con un presupuesto de 35 mil millones de dólares, poco y nada podría hacer en el mundo. Esto puede explicar mejor por qué los talibanes fueron desalojados del poder por el gobierno de Bush, justo luego de haber prohibido el cultivo de opio.

En este punto vale la pena señalar que George Bush padre llegó a ser director de la CIA durante el mandato del presidente Ford, y que habría dejado en dicho organismo una enorme cantidad de amigos. El hoy presidente George W. Bush tiene además una muy estrecha relación con el actual director de la CIA, George Tenet, quien suele reunirse a solas con el mandatario. Finalmente, cabe señalar que, en su visita a Estados Unidos entre el 4 y el 13 de septiembre de 2001, el general Mamoud Ahmed, presunto financista de los atentados a las Torres Gemelas, se entrevistó con el director de la CIA, George Tenet, con el subsecretario del Departamento de Estado, Richard Armitage, y con el senador Joseph Biden, jefe del Comité de Relaciones Exteriores del Senado.

Si Vidal y Chossudovsky tienen razón, toda la serie de guerras que hubo en los últimos años cobra una dimensión totalmente diferente. Los acontecimientos que rodearon a la primera guerra del Golfo Pérsico, en cambio, pueden entenderse más acabadamente.

En el Nombre del Padre de Bush

El 8 de febrero de 2002 el matutino *Clarín*, en sus páginas 26 y 27, reveló que George Herbert Walker Bush, el padre del actual presidente, preparó en 1990 una auténtica campaña de mentiras y engaños para poder realizar la guerra contra Irak. En aquel momento, el Congreso norteamericano estaba dividido acerca de la necesidad de la guerra. A fin de ganarse a la opinión pública, y por lo tanto definir a favor la votación en el Congreso, el padre de Bush decidió televisar a todo el mundo el testimonio de una joven iraquí llamada Nayirah que, llorando ante las cámaras televisivas y legislativas, aseguraba que los soldados iraquíes que invadieron Kuwait habían producido la muerte de 312 bebés al sacarlos de las incubadoras de un hospital para dejarlos morir de frío en el piso helado. Dijo que lo presenció y que su hermana estaba dando a luz en esos momentos. En marzo de 1991 se reveló que la niña de 15 años no había estado en Kuwait en ese momento sino en Washington DC, no se llamaba Nayirah y era nada menos que la hija del embajador de Kuwait en Naciones Unidas. El episodio obligó a retractarse, incluso, a Amnesty International, que también fue manipulada por el propio Bush en este tema. El padre de Bush también contrató a la consultora Hill & Knowlton por 11,5 millones de dólares para que preparara una campaña de prensa destinada a manipular a la opinión pública a fin de poder bombardear a Saddam Hussein. Esto saltó a la luz en la Argentina a raíz de la información que hablaba acerca de que Tony Blair había fraguado un informe sobre las armas de destrucción masiva de Hussein para poder invadir Irak en el 2003, utilizando para ello nada menos que un viejo informe, de más de diez años de antigüedad, de un estudiante universitario que, consultado por la prensa, manifestó su desorientación y sorpresa, se declaró muy contento, y hasta expresó que, si las autoridades inglesas lo deseaban, podía proporcionar más información. La diputada laborista Glenda Jackson pidió entonces infructuosamente la renuncia de Blair. ¿Qué es lo que entonces había ocurrido realmente en el Golfo Pérsico? ¿Es acaso cierto que un demoníaco Saddam Hussein invadió cruelmente Kuwait en 1990? ¿Qué es lo que sucedió?

Webster Tarpley y Anton Chaitkin echan luz sobre el tema en la agotada (pero disponible libremente en la web) biografía no autorizada de George Bush padre. Lo que ocurrió habría sido lo siguiente: a inicios de los años '80, Irán e Irak, dos países petroleros, ingresaron en una guerra entre sí en la cual Estados Unidos, gobernado por la dupla Reagan-Bush, tomó una decisión salomónica: financiar a ambos bandos y venderles armas a los dos países. A consecuencia de ello, se desarrolló una prolongada guerra que terminó en empate. Saddam Hussein habría

86

acumulado rencor contra sus vecinos saudíes y kuwaitíes, que lo habrían dejado en soledad, atajando las hordas chiítas iraníes, de diferente raza que la árabe y de pronunciadas diferencias religiosas y culturales con los sunnitas, mayoritarios en Arabia Saudita, Kuwait y en la elite en ese entonces gobernante en Irak. La situación de Hussein era especialmente complicada si se tiene en cuenta que, mientras Irán posee 60 millones de habitantes, Irak sólo llega escasamente a la tercera parte. Si además se tiene en cuenta que 70% de la población iraquí es chiíta, fácilmente se puede caer en la cuenta del grado de soledad que tuvo que soportar el sunnita Saddam Hussein durante esa guerra. Una vez concluida, Saddam Hussein aumenta su nivel de rencor contra el emir de Kuwait al observar que la política petrolera saudí y kuwaití era producir al mayor ritmo posible, deprimiendo artificialmente el nivel de precios mundiales del crudo, que, como ya hemos explicado, era funcional a los intereses de las petroleras anglo-norteamericanas en los años '80. Àdemás, Irak y Kuwait comparten uno de los mayores yacimientos petrolíferos del mundo: los campos de Rumeila. Kuwait extraía petróleo de ese yacimiento a un ritmo frenético, lo que motivó que Hussein entendiera que el emir de Kuwait estaba robando petróleo que correspondía a Irak.

Así dadas las cosas, Hussein en 1990 informó a la embajadora de Estados Unidos en Irak, April Glaspie, que su intención era invadir Kuwait. La embajadora Glaspie consultó con el Departamento de Estado y con el presidente George Herbert Walker Bush, quien no emitió opinión, comentario ni trató de disuadir a Hussein de la invasión, lo que fue interpretado por él mismo como una carta blanca. Hussein entendió entonces, erróneamente, que Estados Unidos no reaccionaría. El padre de Bush le había tendido una trampa que le daba la excusa para debilitar al líder árabe más reacio de domesticar, poner un pie con bases militares en el país con mayores reservas petrolíferas del mundo: Arabia Saudita, y en Kuwait. Todo ello con la excusa de que Hussein era un brutal agresor al invadir Kuwait y que no respetaba los derechos humanos. Por supuesto, sin tener en cuenta que Kuwait era gobernado autoritariamente, sin Congre-

87

so ni representación parlamentaria alguna, por un emir de exóticas y multitudinarias costumbres sexuales y que poseía esclavos. Las propias autoridades norteamericanas no sabían cómo disimular esto cuando el emir se trasladó con ellos a Estados Unidos. La historia tomó tal dimensión que el propio Bush padre debió interceder para crear a toda velocidad una parodia de miniparlamento kuwaití a fin de disimular las características del régimen esclavista, que supuestamente sí respetaba los derechos humanos.

La estrategia del padre de Bush, si bien triunfadora en el campo de batalla, con el correr de los años significó la pérdida de la guerra, dado que nunca se produjo el golpe de Estado interno que la industria petrolera deseaba.

Ocurre que a Estados Unidos no le venía bien cualquier tipo de golpe contra Saddam Hussein. Noam Chomsky, en *Estados canallas*, señala:

"En 1991, inmediatamente después del cese de las hostilidades, el Departamento de Estado reiteró formalmente su negativa a tener ningún trato con la oposición democrática iraquí, e igual que antes de la Guerra del Golfo (la primera) el acceso a los principales medios de comunicación estadounidenses les fue virtualmente denegado. (...) Era el 14 de marzo de 1991, mientras Saddam estaba diezmando a la oposición en el sur bajo la mirada del general Schwarzkopf, quien se negó incluso a permitir que los oficiales militares rebeldes tuvieran acceso a las armas iraquíes capturadas. (...) Oponiéndose a una rebelión popular, Washington esperaba que un golpe militar desplazara a Saddam, y entonces Washington tendría lo mejor de todos los mundos: una junta iraquí con puño de hierro sin Saddam Hussein."

La situación derivó nuevamente en guerra cuando Hussein decidió ignorar a las petroleras anglo-norteamericanas a medida que Irak retornaba al mercado internacional del petróleo.

Las relaciones de la familia Bush con jeques, emires e industriales de origen árabe no son nuevas. En realidad, uno de los nexos de más larga data de la familia Bush con familias árabes fue la cordial y lucrativa relación con la familia Bin Laden. Dicho vínculo se habría solidificado después de 1968, año en el cual el patriarca familiar Mohamed Bin Laden murió en los campos petroleros de la familia Bush, en Texas. ¿Cómo murió?... Se le cayó el avión. Los negocios de la familia Bin Laden a partir de ese momento fueron manejados por el hermano mayor de Osama, Salem Bin Laden. Salem compartía el poder con doce de sus hermanos. Cuando el actual presidente George W. Bush funda la empresa Arbusto Energy en 1978, Salem Bin Laden se transforma en uno de sus principales inversores.

Salem Bin Laden nombró como su representante exclusivo en Estados Unidos a James Bath, quien declaró posteriormente haber sido agente de la CIA, y haber sido reclutado por el propio George Bush padre en persona, cuando fue director de la CIA en 1976. Bath además había sido compañero de Bush junior en la Texas Air National Guard. Bath invierte varios millones de dólares en los fallidos emprendimientos petrolíferos de Bush. Repite tantas veces a quien quiera oírle que ese dinero no provenía de la familia Bin Laden, que logra el efecto precisamente contrario en la prensa texana de la época. Bath no solamente maneja los intereses del Bin Laden Group en Estados Unidos sino también los de un jeque saudí, precisamente cuñado de Osama Bin Laden: Khalid Bin Mahfouz. Mahfouz se transforma en el heredero directo del grupo Bin Laden en Estados Unidos cuando en 1988 sucede un trágico y triste episodio: en Texas, muy cerca de la propiedad de la familia Bush, en las cercanías de San Antonio, fallece inesperadamente Salem Bin Laden. ¿Cómo ocurrió este trágico episodio? Coincidencia... Se le cayó el avión. Aquí es necesario acotar que en los emprendimientos petrolíferos de la familia Bush, sobre todo los de George W. Bush, el único que ganaba dinero era Bush. Las empresas, primero Arbusto Energy, luego Bush Exploration, más tarde Spectrum 7 y finalmente Harken, solían perder dinero hasta quedar al borde de la quiebra, debido entre otras cosas a que en Texas se estaba acabando el petróleo y los Bush se habían acordado tarde, cuando ya no había "oro negro", en su intención de imitar a uno de los clanes que los financió y los hizo poderosos: los Rockefeller. George W. Bush siempre se las arregló para ganar y fusionar sus desfallecientes empresas con otras más grandes que las salvaran. Pero en el camino, los amigos del padre, inversores de sus arrebatados emprendimientos petrolíferos, solían perder dinero. Quizá se pueda entender mejor, entonces, la seguidilla de caída de aviones que suele rodear la vida de George W. Bush.

En el caso específico de Salem Bin Laden, el accidente producido el 29 de mayo de 1988, justo el Memorial Day, despertó la atención de todos los lugareños, dado que Salem era un experto piloto, con más de 12.000 horas de vuelo. Por lo tanto, no se entendía cómo, en un día despejado y sin vientos, en vez de doblar hacia la izquierda dobló a la derecha y se fue a enredar en cables de alta tensión, lo que provocó su inmediata muerte.

Quien comenzó a manejar el grupo desde ese trágico momento, Bin Mahfouz, cuñado de Osama, tenía todas las características de un as de las finanzas. Tanto es así que fue un importante accionista del banco (tenía 20%) que provocó la mayor quiebra financiera de todas las épocas, en todo el mundo, estafando a pequeños ahorristas por la friolera de 10 mil millones de dólares. En efecto, en 1991, precisamente durante la presidencia de Bush padre, cae el Bank du Crédit et Commerce International (BCCI), fundado por un paquistaní y con conexiones finales en importantes bancos suizos y la CIA, agencia que había sido dirigida hasta hacía poco por el propio Bush padre. El BCCI estaba señalado de ser, tras la fachada de un banco, un emporio de corrupción global que lavaba el dinero de la droga que se producía en Afganistán —donde estaba Osama—, financiaba las actividades terroristas de los mujaidines afganos, manejaba los fondos del cártel de Medellín y los ahorros del general Noriega en Panamá. Fue difícil para Bush padre defenderse en este tema. Para eso usó a uno de sus colaboradores en el Departamento de Justicia: Robert Mueller III, quien hoy es máxima cabeza del FBI y máximo responsable de la investigación de los atentados terroristas del 11 de septiembre de 2001. Si los negocios de la droga, de las armas y del terrorismo mueven gigantescas cifras, es obvio que necesitan de entidades financieras mediante las cuales puedan ingresar esos enormes recursos a la economía legal. El crimen organizado también necesita de bancos que puedan lavar fondos de grandes operaciones o acontecimientos relacionados con el crimen. Por lo tanto, siempre deben existir grandes bancos que puedan actuar a la vez en el marco legal y en el mundo criminal. Una investigación a fondo del BCCI hubiera implicado probablemente no sólo a George Bush padre. Después de todo, todo ser humano puede ser fusible, como ya lo demostró el caso Nixon. El problema que presentaba el caso BCCI era que comenzaba a verse la real dimensión existente entre el crimen organizado y la CIA. Y en tal sentido, la CIA podía llegar a resultar el último bastión tras el cual se escudaba la propia elite banquero-petrolera anglo-norteamericana.

Por si fuera poco, el BCCI también estaba implicado en préstamos al terrorista palestino Abu Nidal y a Khun Sa (lord de la heroína en el denominado "triángulo dorado" que conforman Tailandia, Burma y Laos). El escándalo del BCCI por lavado de fondos de la droga, contrabando de armas, financiación al terrorismo y coimas a políticos norteamericanos perjudicó muy rápidamente al gobierno de Bush padre y los ahorros de la familia Bin Laden. El tema amenazaba con mostrar el verdadero rostro de los que ostentaban y ostentan el poder. Quizá fue en parte por ello que la elite de negocios norteamericana que mencionamos en el capítulo sobre el petróleo vio con beneplácito el ingreso en la campaña presidencial del multimillonario texano Ross Perot. Perot le sacaba más votos a Bush que a Clinton, de manera tal que se podía dar a Bush padre una salida discreta, sin levantar del todo la perdiz, e instalar a Bill Clinton en el poder.[5] Una eventual reelección de Bush padre en medio de un escándalo financiero de esas circunstancias hubiera dificultado sobremanera el entierro definitivo del tema BCCI. Es posible que hasta el propio Bush padre haya deseado perder esa campaña presidencial. Algunos dichos y medidas encaradas por el propio Bush padre cuando era presidente lo hacían pasar como un mandatario confundido y perdedor más por sus propios supuestos errores que por aciertos del adversario Clinton. Por ejemplo, la más famosa frase de Bush que "enterró" sus supuestas aspiraciones reeleccionistas fue, en plena campaña: "Lean mis labios: ningún impuesto nuevo". A los muy pocos meses, Bush subió los impuestos, y perdió el voto de gran cantidad de votantes de clase media. ¿Error tan infantil de un personaje tan astuto y sumamente sagaz? ¿O pura estrategia para comenzar a dar "un paso al costado"?

Además, no había grandes diferencias entre Bush padre y Clinton. Tenían grandes amigos en común, como por ejemplo Jackson Stephens, quien logró para el BCCI la compra del First American Bank en Washington DC. Stephens era amigo y vecino del entonces joven Bill Clinton, y había logrado fondos de la industria petrolera para la campaña presidencial de Jimmy Carter, y ya hacía lo mismo para Clinton. Por eso, muchos republicanos y demócratas estaban interesados en tapar lo más rápidamente posible el caso de la quiebra del banco de origen paquistaní, BCCI.

¿Implicó este enorme lío el fin de la fructífera relación financiera entre los clanes Bush y Bin Laden? Por supuesto que no. En la década del 90, el llamado Carlyle Group, un fondo de

[5] Uno de los principales "caballitos de batalla" de Perot en aquella campaña presidencial era la promesa del magnate texano de rescatar sobrevivientes norteamericanos en Vietnam. Bush padre se mofaba de Perot porque no logró rescatar ni siquiera uno. La respuesta de Perot no se hizo esperar: "Bueno, George, sigo buscando prisioneros, pero paso todo el tiempo descubriendo que el gobierno ha estado moviendo drogas en todo el mundo, y que está envuelto en ventas ilegales de armas... No puedo encontrar los prisioneros debido a la corrupción de nuestra propia gente". Bush no respondió, pero a Perot se le cerraron todos los archivos oficiales.

inversión que administra en Estados Unidos 15 mil millones de dólares, con los que financia y compra en su totalidad o en parte empresas relacionadas sobre todo con la producción y el tráfico de armas y sistemas de defensa, manejó los fondos del Bin Laden Group. Esa entidad fue dirigida hasta hace poco por el ex director de la CIA, Frank Carlucci. A inicios de los años noventa una empresa por ese entonces propiedad de Carlyle, Vinnell Corporation, fue la encargada de proporcionar los soldados mercenarios para custodiar los pozos petroleros saudíes, que —al igual que hoy Afganistán— no son vigilados directamente por el ejército estadounidense, sino por una milicia privada. Entre los directivos y asesores del Carlyle Group figuran el ex primer ministro inglés en la era de la primera guerra del Golfo, John Major, James Baker III y nada menos que... George Bush padre, quien durante los años '90 pasó largos y gratos momentos en países árabes, dando conferencias en nombre del Carlyle Group al costo de unos 100 mil dólares por charla. Sí, el padre de Bush veló hasta el 11 de septiembre del año 2001, y sigue velando aún, por los intereses del Carlyle Group. Y éste lo ha hecho por los intereses financieros de la familia Bin Laden. Algunos creen que la supuesta "expulsión" de Osama del clan, hace varios años, fue en realidad un engaño para evitar exponer los lazos de las familias Bush, Bin Laden y la propia CIA, ya golpeadas por el tema BCCI, con la financiación del terrorismo y el cultivo de drogas.

En cuanto al terrorismo, a pesar de la propaganda de los medios masivos de comunicación, ha sido mucho más financiado por la CIA y los Estados Unidos de lo que puede parecer. El propio Noam Chomsky, en *9/11*, señala:

"Como digo en todas partes, Estados Unidos es, después de todo, el único país condenado por el Tribunal Internacional por terrorismo internacional —por el uso ilegal de la fuerza con fines políticos, como el Tribunal lo señala—."

A propósito del terrorismo internacional, muchos de los atentados quedan en la más absoluta oscuridad, a pesar de factores llamativos. Por ejemplo, los atentados cometidos simultáneamente en las embajadas norteamericanas de Nairobi (Kenia) y Dar-es-Salaam (Tanzania) durante la era Clinton costaron la vida de centenas de personas, casi todas africanas. Menos del 10% de las víctimas eran estadounidenses. En cuanto a los atentados cometidos en Riad (Arabia Saudita) el 12 de mayo y el 8 de noviembre de 2003 —que sirven de excusa a EE.UU. para mantener su ejército en Irak y sus bases en Arabia Saudita—, apenas murieron nueve estadounidenses sobre 35 muertos totales en mayo y... ningún norteamericano sobre 30 muertos en las explosiones de noviembre. Asimismo, las células terroristas chechenas que suelen provocar desastres en Rusia fueron, según Chossudovsky, entrenadas en Afganistán por mujaidines afganos. Este último sería un curioso caso en el que los terroristas chechenos son funcionales a los intereses de las megaempresas petroleras, dado que una eventual independencia de Chechenia de la Federación Rusa convertiría los pozos petrolíferos de Bakú (Azerbaiján) en mucho más fáciles de dominar por parte de las petroleras anglo-norteamericanas, dado que Chechenia —hoy rusa— separa Azerbaiján de Rusia.

En suma, sea quien fuere el verdadero organizador de una buena parte del terrorismo internacional, y más allá de quiénes son en realidad los que utilizan a fanáticos islámicos o nacionalistas varios en atentados, muchas cosas pueden quedar claras: el crimen organizado y varios clanes de multimillonarios están más emparentados de lo que a primera vista parecen. La CIA y el terrorismo son mucho más amigos de lo que uno puede en principio suponer: Thierry Meyssan, en un apéndice de *La terrible impostura,* muestra los facsímiles de la denominada "Operación Northwoods" cuando, a inicios de los años '60, militares norteamericanos querían organizar operaciones terroristas en su propio territorio, matando ciudadanos norteamericanos para presentar la invasión que se preparaba contra Cuba como si fuera en legítima defensa. Los viejos films de Francis Ford Coppola con Brando, De Niro y Pacino acerca de la mafia lucen como películas rosas en comparación con lo que la realidad parece ser. En medio de todo esto, sigue quedando la gran incógnita de los atentados del 11 de septiembre de 2001, y de la familia Bush, clan que parece mezclar intereses públicos y privados, y no tener código alguno al momento de perseguir sus intereses. Es muy extraño que ningún juez en Estados Unidos se haya planteado, entre otras cosas, la legalidad de las asesorías de George Bush padre al Carlyle Group, luego de su paso por el gobierno, y habiendo dejado una enorme cantidad de contactos políticos, a todo nivel, en todos lados. Tampoco se ha cuestionado suficientemente la legalidad de que Dick Cheney en diez años haya sido sucesivamente secretario de Defensa, presidente de la petrolera Halliburton y vicepresidente de Estados Unidos. Aunque no suena tan raro, si se tiene en cuenta que la Corte Suprema de Justicia de Estados Unidos parece poseer un grado de adicción al sector industrial-petrolero-financiero-militar al menos desde los años '80, cuando Reagan y Bush nombraron la mayoría de los actuales jueces. Una gran cantidad de autores, sin embargo, llevan mucho más atrás en el tiempo este grave conflicto de intereses. Incluso hay quien señala que es algo inherente al propio tipo de capitalismo corporativo, donde la democracia es sólo una ilusión, que se adueñó de Estados Unidos.

Estudiar al clan Bush puede aportar mucha luz acerca de cómo realmente funciona el mundo, acerca de las reales noticias que no siempre, más bien unas pocas veces, coinciden con las que circulan en los medios masivos de comunicación. Como detalle, vale mencionar el propio caso de Osama Bin Laden: sus declaraciones después del 11 de septiembre de 2001 generalmente fueron obtenidas, traducidas y reproducidas por el canal televisivo Al-Jazeera, instalado en Qatar. Es posible que no se haya divulgado lo suficiente que Al-Jazeera es una especie de CNN "aclimatada" al paladar árabe. Quizá tampoco se recuerde que Qatar fue el primer país del Golfo Pérsico que se ofreció a prestar apoyo a George W. Bush en su campaña contra Irak, lo que en su momento motivó una amenaza de Saddam Hussein de "volar" Qatar, hasta sus cimientos. Lo que se mencionaba en los medios de comunicación sobre las expresiones de Osama Bin Laden provenía de Qatar y de Al-Jazeera... En cuanto a los atentados del 11 de septiembre de 2001, como hemos visto, Osama Bin Laden podía tener causales económicas y políticas como para ser el autor de los mismos. Además hemos analizado cómo también tenía razones personales para vengarse de la familia Bush. Sin embargo, que Bin Laden tuviera muchos motivos para realizar los atentados no implica necesariamente que los haya cometido. A medida que transcurre el tiempo y los interrogantes mencionados al inicio de este capítulo se van adicionando, también van creciendo las dudas con respecto a la autoría de los atentados. Podría darse el caso de que Osama haya sido elegido de antemano como "chivo expiatorio", justamente debido a gran cantidad de motivaciones que podía tener para efectuar esos hechos, factor que podría constituir el pretexto ideal para comenzar una verdadera cruzada militar contra varios países árabes.

Quizá todo esto ayude a explicar por qué poco, muy poco, se lee en los diarios acerca de la historia de los Bush, aun cuando uno de ellos fue presidente de Estados Unidos hace una década, y otro lo es ahora. Aun cuando otro más es gobernador de uno de los estados más importantes (Florida), y potencial presidenciable en sólo algunos años. ¿Quiénes son los Bush? ¿De dónde vienen? ¿Cómo acceden tan fácilmente al poder? Ésa es la historia que sigue.

BIBLIOGRAFÍA

EN INTERNET:

Sobre los atentados del 11 de septiembre de 2001 hay muchos megasitios excelentes en la red, llenos de información. Se sugiere especialmente en el sitio web *www.serendipity.li* los siguientes documentos:
"Ashcroft following nazi example", 11-08-03.
"Bush flubs it again. Details and confirmation of prior knowledge". *www.whitehouse.gov/news/releases/2001/12/20011204-17.html*, 17-08-03.
"Other WTC building 'collapses'", 11-08-03.
"Preamble to the charter of the United Nations", 11-08-03.
"The gods of Eden", 11-08-03.

"The meaning of Kuta bombing", 11-08-03.

"The Oklahoma City bombing", 11-08-03.

"The Waco massacre", 11-08-03.

"The World Trade Center demolition and the so-called war on terrorism", 11-08-03.

"The World Trade Center demolition", 11-08-03.

ADAM, James: "Troubling questions in troubling times. A critical look at the history of attacks on the World Trade Center", 2001.

BOLLYN, Christopher: "Laser beam weapons and the collapse of the World Trade Center". American Free Press, 11-08-03.

BRISARD, Jean-Charles; DASQUIÉ, Guillaume: "Three reviews of *Bin Laden: The forbidden truth*", 11-08-03.

DOWLING, Kevin; KNIGHTLEY, Phillip: "The Olson file. A secret that could destroy the CIA".

DUNNE, Fintan: "The split-second error... Exposing the WTC bomb plot...", 11-08-03.

DUNNE, Fintan: "Wag the WTC II. The blockbuster", 11-08-03.

Mc GEHEE, Ralph: "CIA past, present and future", partes 1 y 2, 11-08-03.

Mc MICHAEL, J.: "Muslims suspend laws of physics!", partes I y II, 11-08-03.

MEYSSAN, Thierry: "Who was behind the September 11th attacks?".

MILLER, Doreen: "High treason in the U.S. government", 11-08-03.

PAXINOS, George: "Greenbrier and the coming war: History repeating itself?", 11-08-03.

PLISSKEN, Snake; VALENTINE, Carol: "9-11: The flight of the bumble planes".

POST, Nadine; RUBIN, Debra: "Debris mountain starts to shrink", 11-08-03.

RUPPERT, Michael: "Suppressed details of criminal insider trading lead directly into the CIA's highest ranks". FTW Publications, 2001.

SCHWARTZ, Alan: "From the preface to Life force — death force", 11-08-03.

SEAL, Cheryl: "Smoking gun. The 9/11 evidence that may hang George W. Bush", 2002.

SPENCER, Leonard: "Flight 11 revisited".

SPENCER, Leonard: "What really happened. The incredible 9-11 evidence we've all been overlooking".

SPENCER, Leonard: "What really happened? A critical analysis of Carol Valentine's 'flight of the bumble planes' hypothesis".

VALENTINE, Carol: "Operation 911: No suicide pilots", 11-08-03.

VIALLS, Joe: "Home run. Electronically Hijacking the World Trade Center attack aircraft", octubre 2001.

Otros sitios web:

"Central Asia: Drugs and conflict". The International Crisis Group. *www.intl-crisis-group.org/projects/showreport.cfm?reportid=495*, 11-08-03.

"George H.W. Bush". *www.famoustexans.com/georgebush.htm*, 30/07/02.

"Investigations conclude Russian defector is lead suspect in Anthrax mailings case". IndyMedia. *www.sf.indymedia.org/news/2002/09/144612_comment.php*, 10-08-03.

HUFSCHMID, Eric: "When nobody knows nothing, everybody is an expert". Time for painful questions. Capítulo 2. *www.dpgear.com*, 11-08-03.

"President Bush's speech on the use of force". *The New York Times*, 31/10/02.

"The 9-11 bombings are not acts of war. The 9-11 bombings are crimes against humanity". *www.ratical.org/ratville/CAH/*, 31/07/02.

"The bioevangelist. Who will take his license to kill?". *www.jdo.org/hatfill.htm*, 15/09/02.

"The Bush-Bin Laden money connection". Bush Watch for Bush Money. *www.bushwatch.net/bushmoney.htm*, 27/07/02.

"The National Security Strategy of the United States of America". The White House. Septiembre 2002.

"U.S. Patriot Act". 107th Congress, 1st Session, H.R. 3162, in the Senate of the United States of America, 24/10/01.

ALTIMARI, Dave; DOLAN, Jack; LIGHTMAN, David: "The case of Dr. Hatfill: Suspect or pawn". CTNow. *www.ctnow.com/news/specials/hc-anthrax0627.artjun27.story?coll=hc%2Dheadlines%2Dspecials*, 15/09/02.

BECKER, Elizabeth: "U.S. Presses for total exemption from war crimes court". *The New York Times*, 09/10/02.

BETTO, Frei: "Lazos de familia (II parte)". Agencia ALAI-AMLATINA, 28/11/2001, São Paulo.

BURNHAM, Greg: "Executive Order 13233 & the undermining of the U.S. Constitution". *www.fas.org/sgp/news/2001/11/eo-pra.html*, 25/09/02.

CHANG, Nancy: "The U.S. Patriot Act. What's so patriotic about trampling on the bill of rights?". Center for Constitutional Rights. *www.ccr-ny.org/whatsnew/usa_patriot_act.asp*, 18/09/02.

CHOSSUDOVSKY, Michel: "Las pistas del Osamagate". *www.rebelion.org/internacional/chossudovsky151001.htm*, 30/04/03.

CHOSSUDOVSKY, Michel: "Osama Bin Laden: un guerrero de la CIA". *La Jornada*, México, 2001. *www.jornada.unam.mx/2001/sep01/010923/mas-osama.html*, 30/04/03.

CHOSSUDOVSKY, Michel: "Vínculos entre la inteligencia paquistaní y el 11 de septiembre. Las culpas del aliado". *www.globalresearch.ca/articles/CHO112B.html*, 30/04/03.

DEAN, John: "Hiding past and present presidencies. The problem with Bush's Executive Order burying presidential records". TruthOut. *www.truthout.org/docs_01/11.23D.John.Dean.htm*, 23/08/02.

DRAHEIM, Richard: "The Draheim report. The Bush nazi connection". *www.lpdallas.org/features/draheim/dr991216.htm*, 30/07/02.

GARCÍA: "El ántrax y el FBI". Argentina Indymedia. http://argentina. indymedia.org/news/2002/07/35716.php, 29/07/02.

GUP, Ted: "Gotcha". The Washington Post, 28/08/02.

IEKE, David: "Coverups uncovered. Bronfman, Bush, Cheney, Seagrams, Zapata, Brown & Root. All interconnected in the spider's web". www.davidicke.net/tellthetruth/coverups/bronfmanbush.html, 30/07/02.

KRISTOF, Nicholas: "Anthrax? The F.B.I. yawns". The New York Times, 02/07/02.

KRISTOF, Nicholas: "Case of the missing Anthrax". The New York Times, 19/07/02.

KRISTOF, Nicholas: "Profile of a killer". The New York Times, 04/01/02.

KRISTOF, Nicholas: "Recipes for death". The New York Times, 17/09/02.

KRISTOF, Nicholas: "The Anthrax files". The New York Times. 12/07/02 y 13/08/02.

MADSEN, Wayne: "Questionable ties. Tracking Bin Laden's money flow leads back to Midland, Texas". In These Times. Independent News and Views. www.inthesetimes.com/issue/25/25/feature3.shtml, 08/08/02.

MARTIN, Harry: "FEMA. The secret government". www.sonic.net/sentinel/ gvcon6.html, 11-08-03.

MILLER, Roger: "Bush & Bin Laden. George W. Bush had ties to billionaire Bin Laden brood". The Free American Press. www.americanfreepress.net/ 10_07_01/Bush_.../bush___bin_laden_-_george_w__b.htm, 27/07/02.

New York Times Editorial Board: "Why is the U.S. government protecting the anthrax terrorist?", 03/07/02.

PETERSON, Iver: "Anthrax finding prompts questions in Princeton about scientist". The New York Times. www.nytimes.com/2002/08/14/nyregion/ 14ANTH.html, 15/09/02.

ROZEN, Laura: "Who is Steven Hatfill?". The American Prospect. www.prospect .org/print-friendly/webfeatures/2002/06/rozen-1-06-27.html, 15/09/02.

RUPPERT, Michael: "Osama Bin Laden's Bush family business connections". The Wilderness Publications. www.sumeria.net/politics/binladen.html, 27/07/02.

SANGER, David; GREENHOUSE, Steven: "Bush invokes Taft-Hartley act to open west coast ports". The New York Times, 09/10/02.

SCHORR, Daniel: "Turning the spotlight on the FBI". The Christian Science Monitor. www.csmonitor.com/2002/0816/p11s02-cods.htm, 15/09/02.

SHANE, Scott: "FBI defends anthrax inquiry". SunSpot. www.sunspot.net/bal-te.hatfill13aug13.story, 15/09/02.

SHOR, Fran: "Follow the money. Bush, 9/11 and deep threat". Counterpunch, 21/05/02.

SKOLNICK, Sherman: "The overthrow of the American republic". Skolnick's report. 14ª parte. www.skolnicksreport.com/ootar14.html, 11-08-03.

SMITH, Richard: "Dr. Steven Hatfill backgrounder". www.computer butesman.com/anthrax/hatfill.htm, 15/09/02.

TEODORO, Luis: "After Irak, the world". ABS-CBN News. *www.abs-cbn.com*, 11-08-03.

VAN BERGEN, Jennifer: "Repeal the USA Patriot Act". TruthOut. *www.truthout.com/docs_02/04.02A.JVB.Patriot.htm*, 21/09/02.

VAN BERGEN, Jennifer: "The USA Patriot Act was planned before 9/11". TruthOut. *www.truthout.com/docs_02/05.21B.jvb.usapa.911.htm*, 20/09/02.

WHEAT, Andrew: "The Bush-Bin Laden connection". *The Texas Observer. www.texasobserver.org/showArticle.asp?ArticleID=480*, 27/07/02.

WILES, Rick: "Bush family's dirty little secret: President's oil companies funded by Bin Laden family and wealthy saudis who financed Osama Bin Laden". American Freedom News. *www.americanfreedomnews.com/ afn_articles/bushsecrets.htm*, 27/07/02.

WILES, Rick: "Bush's former oil company linked to Bin Laden family". American Freedom News.com. *www.rense.com/general14/bushsfor mer.htm*, 27/07/02.

LIBROS:

ABURISH, Saïd: *Saddam Hussein. The politics of revenge.* Bloomsbury Publishing, 2000.

AHMED, Nafeez Mosaddeq: *The war on freedom. How and why America was attacked, September 11, 2001.* Tree of Life Publications, 2002.

BAUDRILLARD, Jean: *The gulf war did not take place.* Indiana University Press, 1995.

BERGEN, Peter: *Guerra Santa, S.A. La red terrorista de Osama Bin Laden.* Grijalbo Mondadori, 2001.

BRISARD, Jean-Charles; DASQUIÉ, Guillaume: *Forbidden truth. U.S.-Taliban secret oil diplomacy and the failed hunt for Bin Laden.* Thousand's Mouth Press/Nation Books, 2002.

CHOMSKY, Noam: *9-11.* Seven Stories Press, 2002.

CHOMSKY, Noam: *El terror como política exterior de Estados Unidos.* Libros del Zorzal, 2001.

CHOMSKY, Noam: *Estados canallas. El imperio de la fuerza en los asuntos mundiales.* Paidós, 2002.

CHOSSUDOVSKY, Michel: *War and globalization. The truth behind September 11.* Global Outlook, 2002.

COOLEY, John: *Guerras profanas. Afganistán, Estados Unidos y el terrorismo internacional.* Siglo Veintiuno de España Editores, 2002.

CUDDY, Dennis Laurence: *September 11 prior knowledge. Waiting for the next shoe to drop.* Hearthstone Publishing, 2002.

DUCROT, Víctor Ego: *Bush & Ben Laden S.A. La primera guerra global de las corporaciones financieras.* Grupo Editorial Norma, 2001.

EMERSON, Steven: *American Jihad. The terrorists living among us*. The Free Press, 2002.

FRANCONA, Rick: *Ally to adversary. An eyewitness account of Iraq's fall from grace*. Naval Institute Press, 1999.

GOOBAR, Walter: *Osama Bin Laden. El banquero del terror*. Editorial Sudamericana, 2001.

HOROWITZ, Leonard: *Death in the air. Globalism, terrorism & toxic warfare*. Tetrahedron Publishing Group, 2001.

HOROWITZ, Leonard: *Emerging viruses. AIDS & Ebola. Nature, accident or intentional?*. Tetrahedron Publishing Group, 1996.

HOROWITZ, Leonard; PULEO, Joseph: *Healing codes for the biological apocalypse*. Tetrahedron Publishing Group, 1999.

HUNTINGTON, Samuel: *El choque de civilizaciones y la reconfiguración del orden mundial*. Paidós, 1997.

ICKE, David: *Alice in Wonderland and the World Trade Center disaster. Why the official story of 9/11 is a monumental lie*. Bridge of Love Publications, 2002.

JUERGENSMEYER, Mark: *Terrorismo religioso. El auge global de la violencia religiosa*. Siglo Veintiuno de Argentina Editores, 2001.

KARSH, Efraim; RAUTSI, Inari: *Saddam Hussein. A political biography*. Grove Press, 1991.

MEYSSAN, Thierry: *11 de septiembre de 2001. La terrible impostura. Ningún avión se estrelló en el Pentágono*. El Ateneo, 2002.

MEYSSAN, Thierry: *Pentagate*. Carnot Publishing, 2002.

PARENTI, Michael: *The terrorism trap. September 11 and beyond*. City Lights Books, 2002.

PITT, William Rivers; RITTER, Scott: *War on Iraq. What team Bush doesn't want you to know*. Context Books, 2002.

RAI, Milan: *War plan Iraq. Ten reasons against war on Iraq*. Verso, 2002.

RASHID, Ahmed: *Jihad. The rise of militant Islam in Central Asia*. Yale University Press, 2002.

RASHID, Ahmed: *Taliban. Militant Islam, oil and fundamentalism in Central Asia*. Yale Nota Bene, 2001.

RITTER, Scott: *Endgame. Solving the Iraq problem —once and for all*. Simon & Schuster, 1999.

SOLOMON, Norman; ERLICH, Reese: *Target Iraq: What the news media didn't tell you*. Context Books, 2003.

VIDAL, Gore: *Dreaming war. Blood for oil and the Cheney-Bush junta*. Thunder's Mouth Press/Nation Books, 2002.

ZINN, Howard: *Terrorism and war*. Seven Stories Press, 2002.

4. LA DINASTÍA BUSH, CLINTON Y CÍA.

◆

George W. Bush nació en el estado de Connecticut en 1946. Desde los 2 años, y hasta su adolescencia, vivió en el pequeño pueblo de Midland, en West Texas. En Estados Unidos suele escucharse mucho el término "bushismo". Pero "bushismo" no tiene el mismo significado que los "ismos" ideológicos o personalistas que suelen abundar en la política de los países. "Bushismo" —concepto muy extendido hoy— no hace referencia a ningún tipo de política, ideología o metodología de acción. "Bushismo" es el término que han acuñado algunos críticos ácidos de George W. Bush para intentar hacer referencia a las frecuentes expresiones del primer mandatario, muchas veces desopilantes, que suelen pasar inadvertidas en los medios masivos de comunicación.

Por ejemplo, cuando el 29 de septiembre del año 2000 en Michigan expresó: "Sé que los seres humanos y los peces pueden coexistir pacíficamente"[1], George W. Bush, en plena campaña presidencial, no estaba esbozando una política ecológica. Cuando el 2 de diciembre de 1999, en pleno debate republicano en New

---

[1] Texto original: "*I know the human being and fish can coexist peacefully*". Saginaw, Mich., Sept. 29, 2000. (*Fortunate Son*, de J. H. Hatfield.)

Hampshire, se le preguntó acerca de sus hábitos de lectura, expresó simplemente: "Leo el diario".[2] Cuando el 5 de mayo del 2000 fue consultado acerca de lo que le parecía el presupuesto, respondió: "Es claramente un presupuesto. Está lleno de números adentro".[3] Nadie meditó en aquel momento si George W. Bush considera presupuestos a las guías telefónicas. A veces, el discurso de Bush no suele guardar demasiada coherencia, como cuando el 3 de febrero de 2001, ya presidente, y ante la prensa en Washington DC, expresó: "Es bueno ver tantos amigos aquí en el Jardín Rosa. Éste es nuestro primer evento en este lindo lugar, y es apropiado que hablemos sobre la política que afectará la vida de las personas de una forma positiva en tan linda, linda parte de nuestro nacional —realmente nuestro sistema de parques nacionales, mi suposición es que querrán llamarlo".[4] Muchos adjudican esos tipos de incoherencias de discurso a los problemas que el propio Bush admite haber tenido con el alcohol, trastorno del cual habría salido, según sus palabras, gracias a la ayuda del pastor evangelista Billy Graham, quien lo habría transformado nada menos que en un *born-again christian*. Los *born-again* suelen ser conocidos por su fanatismo religioso y por el cambio abrupto que dicen haber experimentado en una especie de momento místico que hizo variar sus vidas para siempre.

En referencia a esto, hace años George W. Bush dijo haber tenido momentos de profundo fervor religioso. Por ejemplo, cuando recordó: "Durante el curso de ese fin de semana, el reverendo Graham plantó una semilla de mostaza en mi alma, una semilla que creció y creció al año siguiente. Me enseñó el cami-

---

[2] Texto original: *"I read the newspaper"*, en respuesta a sus hábitos de lectura. Debate del Partido Republicano en New Hampshire, 2/12/99. (*Fortunate Son*, de J. H. Hatfield.)

[3] Texto original: *"It's clearly a budget. It's got a lot of numbers in it."* Reuters, 5/05/2000 (*Fortunate Son*, de J. H. Hatfield.)

[4] Texto original: *"It's good to see so many friends here in the rose garden. This is our first event in this beautiful spot, and it's appropriate we talk about policy that will affect people's lives in a possitive way in such a beautiful, beautiful part of our national —really, our national park system, my guess is you would want to call it."* Washington DC, 3/02/01. (*Fortunate Son*, de J. H. Hatfield.)

no, y empecé a caminar. Fue el comienzo de un cambio en mi vida".[5] De la misma época, antes de llegar a ser gobernador de Texas, datan sus expresiones sobre la pena de muerte: "Reverencio la vida; mi fe enseña que la vida es un regalo de nuestro creador. En un mundo perfecto, la vida es otorgada por Dios y sólo Dios puede tomarla. Espero que algún día nuestra sociedad respete la vida, el espectro entero de la vida, desde los bebés en gestación hasta los ancianos".[6]

¿Quién podría haber supuesto, entonces, que la misma persona que hace estas declaraciones a la prensa se iba a transformar en un par de años en el gobernador con el récord de condenas a muerte de todos los tiempos en Estados Unidos? Bush parecía disfrutar cada vez que alguien en su estado de Texas recibía la inyección letal. De los más de 130 pedidos de clemencia, no conmutó ni una pena de muerte. Ni siquiera accedió a postergar las ejecuciones por períodos de treinta días, como la ley del estado de Texas lo autorizaba a hacer. Los comités de apelaciones de condenas a muerte en el estado de Texas votaban invariablemente 18 a 0 para ratificar las condenas, en las que sobre todo negros e hispanos eran asesinados por el propio estado. Esta actitud ante la vida y la muerte, generalmente de personas de escasos recursos económicos que no podían pagarse un buen abogado, probablemente en muchos casos "chivos expiatorios" de crímenes cometidos por otras personas, alcanzó su paroxismo cuando una joven condenada a muerte, Karla Faye Tucker, pidió ante las cámaras televisivas clemencia, deshaciéndose en llanto, a lo que Bush respondió tras su muerte, riéndose en forma burlona de la manera suplicante con que le pedía clemencia. A propósito de esto, ¿alguna duda cabe acerca de lo que quiso decir al regalarle la obra de Malthus al presidente argentino Kirchner?

Así como cabe sospechar acerca del "amor a la vida" de George W. Bush (sobre todo después de lo acaecido a partir del 11 de septiembre en Afganistán e Irak), les caben las generales

[5] Ver la biografía no oficial de Bush hijo, *Fortunate Son*, escrita por el difunto escritor J. H. Hatfield, citada en bibliografía.
[6] Ver la misma obra.

de la ley a sus expresiones acerca de su supuesta "resurrección espiritual".

Bush es miembro de una sociedad secreta llamada Skull & Bones ("Calavera y Huesos") desde que era estudiante en la Universidad de Yale, como varios de sus familiares más directos. A esta sociedad secreta nos referiremos en detalle más adelante. Pero vale la pena mencionar, a propósito de sus expresiones acerca del cristianismo, que en la ceremonia iniciática de la orden de Skull & Bones, a la persona en cuestión se la introduce desnuda en un ataúd, se le hace un simulacro de entierro, el que concluye con la persona en cuestión saliendo del féretro y diciendo: *I am born again*. Esta ceremonia no es más que un símbolo por medio del cual el nuevo integrante de la secta jura fidelidad a ella por encima de cualquier otro juramento que haga en la vida... aunque se trate de jurar por la propia presidencia de la República.

El pacto de lealtad, entonces, es mayor entre los integrantes del grupo que con cualquier persona que no pertenezca a él, y dura por el resto de la vida. Quizá George W. Bush haya expresado una especie de juego de palabras, bastante siniestro, cuando declaró ser un *born again*. Puede que lo sea, pero no en el sentido cristiano del término. Las sociedades secretas, de características en general ocultistas, están totalmente reñidas con el espíritu religioso y con el ideario de la democracia. Lejos, muy lejos, deben quedar las imágenes un tanto románticas que algunos lectores puedan llegar a tener acerca de este tipo de sociedades. Baste, a modo de ejemplo, recordar que fue una sociedad secreta la "Mano Negra" de Serbia, la que, asesinando al archiduque Ferdinando Francisco en Sarajevo, produjo el inicio de la Primera Guerra Mundial. Más aún, hay autores especializados en el tema que señalan la existencia de una red mundial de sociedades secretas.

Ahora bien, dejando de lado la imagen de cristiano devoto que George W. Bush haya querido brindarnos, lo cierto es que su asociación con Billy Graham, de quien se dice que también forma parte de sociedades secretas, le permitió ganarse el apoyo de varios de los más influyentes y ricos pastores protestantes conocidos en Estados Unidos como *televangelists*: Pat Robertson, Jerry Falwell, etc., quienes poseen un enorme ascendiente sobre el electorado norteamericano. El propio Pat Robertson fue candidato presidencial por el Partido Republicano, siendo un competidor importante en varias de las elecciones protagonizadas por Ronald Reagan y George Bush padre, al punto de que ambos debieron negociar con él para poder acceder lo más fácilmente posible a la presidencia.

Lo importante es que el lector deje atrás la imagen de que George W. Bush es simplemente un "loquito". No se trata de un fanático religioso capaz de llevar su extremismo para luchar contra los infieles musulmanes, sino que hay otros poderes atrás. Algunos detalles expresados en el capítulo anterior ya nos dan la pauta al respecto.

Si miramos un poco más de cerca la vida profesional de George W. Bush, podemos tener una mejor idea al respecto. Ya hemos comentado la asociación con la familia Bin Laden para la realización de la fallida Arbusto Energy desde 1977. Hacia 1981, Arbusto Energy estaba en una complicadísima situación financiera. Es entonces cuando un oscuro personaje llamado Philip Uzielli, dueño de una compañía panameña llamada Executive Resources, compra 10% de Arbusto Energy en 1 millón de dólares. Lo raro del caso es que el valor de libros de Arbusto Energy era de US$ 382.376. O sea que Uzielli pagó un millón por lo que valía sólo 38 mil. ¿Por qué Uzielli hizo esto? Es bueno hacer notar que George Bush padre ya era vicepresidente de Estados Unidos, que habría tenido en el pasado contactos con Uzielli, y que él mismo se habría desempeñado en colaboración con la CIA durante la denominada operación "Irán-Contras", mediante la cual la CIA organizó un complicado mecanismo financiero por el que se proveía de armas al régimen fundamentalista de Khomeini, acérrimo enemigo de Estados Unidos. Con el fruto de esa venta ilegal de armas a los iraníes, se financiaba y armaba a las bases terroristas que luchaban contra el gobierno sandinista de Nicaragua. Los contras, a su vez, enviaban el tráfico de cocaína a Estados Unidos, en pago por las armas. La droga ingresaba, entre otros lugares, por el aeropuerto de Mena en Arkansas. No en vano la CIA bautizó su cuartel general en Langley, Virginia, con el nombre de "George Bush", en honor al padre del actual presidente norteamericano.

Volviendo a los negocios de George W. Bush, a partir del trato con Uzielli, su empresa pasó a denominarse Bush Exploration. La estrategia inicial era emitir bonos de deuda en los mercados para hacerse rápidamente de 5 millones de dólares, con el supuesto objetivo de extraer petróleo en el estado de Texas. Pero los inversores no confiaron demasiado en la operación y Bush y Uzielli sólo recaudaron inicialmente 1, 3 millones de dólares. Los sucesivos balances señalan, sin embargo, que en toda la vida de Bush Exploration, los inversores aportaron 47 millones de dólares y que sólo obtuvieron a cambio, en forma de dividendos distribuidos, 1,5 millones de dólares. El único miembro de la empresa que ganó dinero fue Bush. Uzielli perdió una pequeña fortuna; sin embargo, en reportajes posteriores habló loas del hijo del vicepresidente, que lo había metido en un negocio desastroso. Cuando Bush Exploration llega al borde del abismo, aparecen dos amigos del padre desde la juventud: William de Witt Jr. y Mercer Reynolds III, dueños de la compañía de servicios petroleros Spectrum 7, la que se fusionó con la semiquebrada pequeña petrolera de Bush. George W. Bush firmó un contrato con ambos que le fue muy beneficioso en forma personal. No así a la Spectrum 7, que en la segunda parte de los '80 estaba ya en una situación tan delicada debido a la baja de los precios del petróleo, como antes lo había estado Bush Exploration. En 1986, la petrolera Harken absorbe a la desfalleciente Spectrum 7, y Bush logra un muy jugoso contrato por el cual es nombrado presidente del directorio, recibiendo casi un 20% de las acciones y además honorarios mensuales por servicios indeterminados.

Cuando el padre de Bush es nombrado presidente de la Nación, Harken, que era una empresa minúscula, logra un megacontrato nada menos que en Bahrein para extraer petróleo de las aguas del Golfo Pérsico. La operación llamó la atención porque Harken jamás antes había extraído una sola gota de petróleo del mar. Pocos años más tarde, justo antes de la primera Guerra del Golfo y de que Harken reportara pérdidas por 23 millones de dólares, George W. Bush vende sus acciones en cerca de US$ 4 por acción, y en sólo cuatro semanas la acción de Harken se derrumba, llegando a valer sólo un dólar. La operación levantó sospechas, tanto de que Bush tenía información de la invasión a Kuwait que haría Saddam Hussein más adelante, como de que se aprovechó de su cargo en la empresa para vender sus acciones antes de que los accionistas minoritarios supieran acerca de las pérdidas (*insider trading*). Si bien hubo una investigación al respecto, la misma estuvo a cargo de... dos amigos del padre, quienes no emitieron un dictamen concluyente.

Los días de petrolero de Bush estaban terminados: cuatro empresas, cuatro fracasos. A pesar de ello, George W. Bush había hecho fortuna. Sus socios, en cambio, sus diversos socios en las cuatro empresas, habían perdido casi todo. Bush se había transformado en una especie de agujero negro financiero, en una especie de imán del dinero ajeno. Dólar que daba vueltas por allí, dólar que captaba. Ocurre que tenía su gran atractivo para los inversores. Se lo conocía como una persona de buenos modales, atildada, que vestía bien y poseía cierta simpatía, a pesar de su nulo nivel de cultura general. (Una vez respondió acerca de una pregunta sobre Grecia: "Eso lo deberán resolver los grecianos".) Pero su mayor activo, indudablemente, eran los puestos, contactos y relaciones que había tenido el padre. Cuando el padre deja la presidencia de Estados Unidos en enero de 1993 y se transforma en consejero del Carlyle Group, le consigue a su hijo un puesto directivo en una pequeña empresa de catering aéreo controlada por Carlyle. Y son los mismos viejos amigos del padre, De Witt y Reynolds III, los que lo ayudan a convertirse en un importante socio del equipo de basquetbol Texas Rangers. Hacia mediados de los '90, otro amigo del padre, Tom Hicks (socio mayoritario del fondo de inversión Hicks, Muse, Tate & Furst), invierte nada menos que 250 millones de dólares en el equipo de basquetbol (por supuesto, dinero de otros), lo que le hace ganar a Bush de un solo golpe 15 millones de dólares.

Bordeando los cincuenta años, eso es todo lo que George W.

Bush había hecho en materia profesional. Un milagro del cielo lo convierte en gobernador de Texas en 1994, cuando inesperadamente, pero con mucho dinero en la campaña, gana las elecciones. Seis años más tarde, dejará Texas al acceder a la presidencia de la Nación en las siguientes condiciones:

(a) con Bush, Texas ocupó el puesto 50 (entre los 50 estados norteamericanos) en gasto público per cápita para programas sociales;

(b) uno de cada tres niños pobres no tenía cobertura de salud;

(c) casi 40% de los niños y adultos pobres estaba en regular o mal estado de salud;

(d) 61% de las familias pobres tejanas tenía problemas para conseguir comida;

(e) 17% de los tejanos vivía bajo la línea de la pobreza;

(f) uno de cada tres niños tejanos era pobre, por lo que Texas figuraba entre los siete peores estados en el país en esta materia;

(g) Texas figuraba cuarto entre los estados de adolescentes menores de 18 embarazadas;

(h) sólo 22% de los tejanos desempleados recibía subsidio de desempleo;

(i) Texas tenía un promedio superior al de la nación en muertes debidas al abuso infantil con 1,8 muerte por 1.000 niños por año, comparado con un promedio nacional de 1,4;

(j) el estado figuraba 49 en gasto en medio ambiente;

(k) Texas lideraba la nación como el estado con mayor polución ambiental;

110

(l) el asma infantil y el enfisema pulmonar de los ancianos con Bush crecían a tasas alarmantes;

(m) casi 230 mil niños en siete condados urbanos estaban en peligro porque las escuelas se hallaban a menos de dos millas de plantas industriales que emitían peligrosos desechos químicos.

Muchos pueden preguntarse, entonces, cómo es que Bush pudo ser reelegido gobernador en 1998. Tuvo como elemento a favor el contexto económico general de euforia bursátil, desempleo nacional en baja y aumento en el consumo de los años de crédito fácil de la era Clinton. Pero Clinton era especialmente odiado en el estado de Texas, y el candidato demócrata que se opuso a Bush tuvo la mala idea de declarar que Clinton era su amigo.

Al votante norteamericano no debería haberle llamado la atención que la administración Bush haya centrado todo su esfuerzo en transformar a Estados Unidos en un estado policíaco (U.S. Patriot Act, Homeland Security Department, Doctrine of Preventive Attack, etc.) y haya dejado a un lado importantes cuestiones económicas. La principal medida económica encarada por Bush fue la reducción de impuestos a los dividendos empresariales, a fin de impedir una caída bursátil de grandes proporciones, cosa que se entreveía entre 2001 y 2002. Se trató de una baja de impuestos a los ricos. En el 2003, a pesar de cierta recuperación bursátil hacia mediados de año, el desempleo ha vuelto a niveles elevados y los "déficit gemelos" fiscal y de balanza de pagos se ubican en muy abultados niveles (4% y 5% del PBI de Estados Unidos, respectivamente), lo que habla a las claras de la artificialidad de cualquier posible reactivación y de muy serios limitantes al crecimiento en el corto y mediano plazo en Estados Unidos.

Pero hay algo más, de lo cual no se suele hablar, que puede ayudar a explicar no sólo la reelección de Bush a gobernador en Texas sino también su actual puesto presidencial, a pesar de su pésimo récord, y por qué mantiene aún un grado importante de popularidad, sobre todo en estados sureños. Ocurre que es común observar actualmente en los estados sureños de los Estados Unidos una mentalidad racista, de gran desprecio por las minorías étnicas. La clase alta y media tejana, y la sureña en general, en buena medida están enroladas en este tipo de movimientos, como si la guerra civil no hubiera acontecido. De otra manera, no puede entenderse que Bush haya felicitado por carta a Michael Grisson, miembro prominente de la United Daughters of the Confederacy, quien en su libro *Sureño por gracia de Dios* expresa que la raza blanca es superior en inteligencia, respeto a la ley, continencia sexual, performance académica y resistencia a la enfermedad.

La veta racista de Bush queda aún más clara si se tiene en cuenta que su congratulado Grisson expresó también que "nadie puede dudar sobre la efectividad del Ku Klux Klan original. El KKK hizo enormes trabajos entre los pobres". Bush lo felicitó por carta en 1996. Y una vez en el cargo de presidente nombró a los racistas solapados John Ashcroft y Gale Norton nada menos que como procurador nacional de Justicia y secretario de Interior. Ambos habían expresado que la guerra civil norteamericana no fue más que un simple conflicto entre estados, olvidando que ella se desató porque el sur se negaba a abolir la esclavitud.

El fluido manejo del idioma español que posee George W. Bush no debe adjudicarse, entonces, a un deseo cosmopolita de conocer y comunicarse con pueblos diferentes de la elite anglonorteamericana que representa, sino a la necesidad de poder hacer eventualmente buenos negocios sin traductores ni testigos molestos. Son muchos los testigos que recuerdan la estrecha amistad, que incluso derivaba en mutuas visitas, entre miembros del clan Bush y miembros del clan Salinas. El lector no debe olvidar que mientras Bush padre era presidente de la república, cosechaba "amigos" en muchos países latinoamericanos. No sólo Menem, en la Argentina. También Carlos Salinas de Gortari en México, cuyo hermano Raúl está acusado de lavado de dinero y narcotráfico por cifras centenarias en millones de dólares.

La vida fácil que tuvo George W. Bush, ganando millones

al mismo ritmo que sus empresas perdían, no puede explicarse si no se conoce la vida del padre: George Herbert Walker Bush. Dejemos descansar a George W. Bush recordando además que cuando fue consultado acerca del valor de la Biblia, respondió que era "un muy buen manual de política". Citaremos un par más de "bushismos", esta vez ya no tan graciosos, sino algo más siniestros: "Tendré a mi secretario del Tesoro en contacto con los centros financieros, no sólo aquí, también en casa" (Boston, 3 de octubre de 2000); "El gas natural es hemisférico. Me gusta llamarlo hemisférico de naturaleza, porque es un producto que podemos encontrar en nuestros vecindarios" (Austin, Texas, 20 de diciembre de 2000). Estados Unidos tiene. poco gas natural (sólo 3% de las reservas mundiales). ¿Considerará Bush a los países ricos en gas como su vecindario? Si recordamos que el propio George W. Bush llamó al ex ministro argentino Terragno a principios de 1989, haciendo *lobby* a favor de la fallida Enron para que se le adjudicara un gasoducto en Argentina (cosa que luego consiguió con Menem), no hay mucho más que agregar...

Poppy

George Herbert Walker Bush, presidente de Estados Unidos entre enero de 1989 y enero de 1993, nació en junio de 1924, en el extremo opuesto a Texas: Massachusetts, lugar de donde provienen las familias norteamericanas de la más rancia aristocracia. A pesar de que siempre intentó relativizar su origen, Bush pasó su niñez rodeado de mucamos, sirvientes, choferes y valets. Ocurre que el matrimonio de sus padres (Prescott Bush y Dorothy Walker) había unido dos linajes que combinaban poderío financiero, excelentes relaciones en la elite de negocios norteamericana y hasta... supuesta sangre real. Algunos biógrafos de Bush trazaron su árbol genealógico hasta el siglo XIII y lo convierten en descendiente directo de los reyes ingleses de aquella época. Lo cierto es que es primo muy lejano de la reina Isabel II de Inglaterra, y que entre sus antepasados se encuentra uno de los más oscuros presidentes de Estados Unidos: Franklin Pierce. Esta costumbre de efectuar matrimonios entre linajes ricos y aristocráticos es seguida también por G.H.W. Bush ("Poppy" —"papito"—, para su madre, sobrenombre que llevaría toda su vida), quien se casa, como no podía ser de otra manera, con una lejana pariente suya: Barbara Pierce.

Bush es bautizado en el rito episcopaliano del protestantismo. La religión episcopaliana es característica de la elite aristocrática norteamericana. Casi nadie en Estados Unidos es episcopaliano. Sólo unos pocos ricos —los más ricos— de sangre azul. El credo episcopaliano es el desprendimiento norteamericano del anglicanismo. El anglicanismo, a su vez, es un cisma de la Iglesia Católica Apostólica Romana, formado como tal cuando, hacia el siglo XVI, el Papa se niega a aprobar uno de los famosos divorcios del rey Enrique VIII de Inglaterra y, por lo tanto, este último decide romper con Roma y nombrarse a sí mismo "Papa" para los ingleses. Los anglicanos —y, por lo tanto, los episcopalianos— creen que el monarca de Inglaterra —representado por el obispo de Canterbury— es la máxima autoridad religiosa del mundo. Que los ingleses crean eso, vaya y pase. Pero que lo hagan las familias más ricas, opulentas, aristocráticas de Estados Unidos, las que deciden las cuestiones políticas más importantes del mundo, es todo un contrasentido. ¿Acaso Estados Unidos no decidió independizarse de Inglaterra a fines del siglo XVIII supuestamente a causa de unos confusos episodios con unos sacos llenos de té? ¿Por qué la elite de negocios norteamericana sigue creyendo que el rey de Inglaterra es una especie de "Papa" en la tierra? Buena pregunta.

"Poppy", que curiosamente en inglés significa también amapola, flor de la cual se extrae el opio con el que se hace la heroína, recibió educación en el mismo colegio de Andover de su padre, y al cual enviaría luego a sus hijos. Por supuesto, también pasó por la elitista Universidad de Yale y fue miembro de la sociedad secreta —como su padre Prescott también lo había sido— Skull & Bones ("Calavera y Huesos"). A diferencia de su hijo George W. (apoda-

114

do "Dubya"[7]), nunca reconoció públicamente pertenecer a esa sociedad secreta. Bush padre no era ningún tonto. Sabía que el tema Skull & Bones podía convertirse en un escándalo de proporciones. Sin ir más lejos, si hoy Estados Unidos es presuntamente dominado por los partidos Republicano y Demócrata, es sólo porque hacia 1830 hubo tal presión popular contra las sociedades secretas, que muchas de ellas debieron salir a la luz, factor que en última instancia determinó el fin de la era de "partido único", tal como lo era el partido democrático-republicano, tras la caída del partido federalista, monopolista absoluto de la política norteamericana antes de 1830, año alrededor del cual se descubriera una trama secreta.

Skull & Bones también debe su origen a esos lejanos y olvidados sucesos de la historia que los manuales históricos ya ni siquiera recogen. Fue fundada en 1833 en la Universidad de Yale, para suplantar, en forma oculta, a las sociedades secretas (como Phi Beta Kappa) que por presión popular debieron salir a la luz. Las sociedades secretas son secretas precisamente porque tienen agendas secretas, planes secretos y estructuras internas "estilo Nash", en el sentido de que sus componentes jamás priorizan sus intereses individuales por sobre los del grupo. Por eso es comprensible que Bush padre haya mantenido suma cautela en torno a este tema y que la declaración de Bush hijo en su autobiografía mencionada en el epígrafe de este capítulo quizás pueda explicarse como el más asombroso de todos sus "bushismos". Las sociedades secretas son incompatibles con la democracia. Si sus fines fueran democráticos, no necesitarían ser sociedades secretas. El secretismo induce a pensar no sólo en motivaciones que van a contramano de las del pueblo, sino también en la posibilidad de que sus miembros efectúen crímenes para lograr sus objetivos como ya hemos citado.

Los rituales de las sociedades secretas suelen incluir gran variedad de componentes ocultistas (y Skull & Bones no es para nada

---

[7] Apodado así por la forma en que se pronuncia la letra W en Texas. A su vez la W, que proviene del apellido Walker, se relaciona con la dinastía homónima, uno de cuyos miembros, William Walker, un terrible filibustero del siglo XIX que intentó anexar América Central al Sur racista y esclavizar a sus gentes, sería pariente lejano de Bush.

la excepción) por varias razones. Al iniciado se lo va preparando mentalmente para no tener que temer el mal y para, llegado el caso, poder practicarlo a sangre fría. Al mismo tiempo, los rituales eliminan la posibilidad de testigos curiosos que interfieran en los planes. Ésas son algunas de las finalidades prácticas de los rituales de las sociedades secretas como Skull & Bones. Todo esto no debería llamar demasiado la atención si se tiene en cuenta que en Estados Unidos existió una de las más numerosas, violentas (aunque no peligrosas) sociedades secretas: el Ku Klux Klan. Estados Unidos es quizás el único país del mundo en el que puede llegar a ser considerado normal que las noticias sobre las sociedades secretas (nos referimos aquí al Ku Klux Klan) puedan ser ampliamente divulgadas en los medios de comunicación, con fotografías y todo.

Pero volvamos a "Poppy" —apodado así por su madre, por llamarse igual que su abuelo materno: George Herbert Walker—. Su primera actuación pública conocida fue en la Segunda Guerra Mundial. Le tocó desempeñarse como aviador, más específicamente piloto, en la guerra contra Japón. Lo cierto es que el sino trágico que los Bush y los Bin Laden tienen con los aviones podría haberse originado en un triste episodio en el que Bush padre no fue sólo un inocente testigo. Volaba Bush padre por los mares del Japón cuando su Avenger fue averiado por la artillería nipona. Bush personalmente piloteaba la aeronave, que estaba preparada naturalmente para poder aterrizar en el agua y permitir un ordenado descenso de todos sus ocupantes. Sin embargo, lo que ocurrió, narrado por testigos de aviones vecinos, es que Bush padre no intentó acuatizar, sino que se tiró en paracaídas dejando dentro de la nave a los demás ocupantes, por lo que resultó el único sobreviviente del trágico episodio. Años más tarde, cuando Bush padre comienza a ser una figura pública relevante, empieza a dar una versión un tanto rosa de este episodio, cosa que llamó la atención de varios ex camaradas de armas que se comunicaron con él para solicitarle que no desfigurara los hechos. Bush padre no lo hizo, y a raíz de esto, cuando se candidateó para presidente de la Nación, varios de su ex camaradas, indignados, comenzaron a contar la verdad a la prensa.

A Bush padre, al revés que a su padre Prescott, quien dirigía varias de las empresas de su suegro Walker, le disgustaba el mundo de las finanzas y se sentía atraído, en cambio, por la forma con la cual el clan Rockefeller había "amasado" su fortuna: el petróleo. Si al lector o a cualquier persona común, aunque haya hecho un importante capital, se le ocurriera invertir en el área del petróleo, muy rápidamente sería disuadido para que meta sus narices en otro lado. Con el clan Bush (tanto "Poppy", el padre, como "Dubya", el hijo) no ocurría esto. El clan Walker venía realizando negocios con el petróleo de los soviéticos desde los años '20, y el viejo George Herbert Walker, abuelo de "Poppy", podía hacer esto gracias a su estrecha relación con los clanes Rockefeller y Harriman, como veremos más adelante. De ahí que en la elite nunca fue mal visto, sino todo lo contrario, que los Bush entrometieran sus narices en un área que no era directamente la suya, y estratégicamente clave. Además, los Bush no tenían forma de ser más que unos pequeños empresarios en esa área. En su malograda carrera petrolífera, Bush hijo había obtenido no sólo la ayuda de familiares, sino también la de bancos suizos presuntamente muy relacionados nada menos que con el clan Rothschild que, como se recuerda, es la familia que financió a la elite norteamericana para que monopolizara las áreas económicas consideradas claves. Así es que la Unión de Bancos Suizos (UBS) había financiado la compra de Spectrum 7 por Harken y, para "ver de cerca" el negocio, se había quedado con 10% de Harken. En el caso de Bush padre, la ayuda vino directamente de la familia de la madre, y fue de esta manera que Bush padre decidió en los años '50 instalarse en Texas para explorar y extraer petróleo, tras un muy breve paso como empleado a sueldo de una empresa de servicios petroleros. Era común, luego de la Segunda Guerra Mundial, que las familias patricias anglo-norteamericanas, denominadas del *establishment* liberal" enviaran hijos y nietos a regiones de Estados Unidos que los cerebros de esos clanes consideraban que serían zonas muy prósperas en poco tiempo. Por lo tanto, no debe verse este viaje de Bush para instalarse en Texas como una aventura individual sino como una pieza, un engranaje más, de una estrategia familiar.

Con dinero familiar, Bush se asocia con los hermanos Liedtke, con quienes funda Zapata Oil, en honor a la película *Viva Zapata*, protagonizada por Marlon Brando. Atención a esto: eligieron ese nombre teniendo en cuenta que nadie sabía muy bien si Emiliano Zapata había sido un prócer de la república o un bandido. Bush padre no tarda en hacerse millonario con ese emprendimiento petrolero. Pero a fines de los años '50 se estaban descubriendo en Texas los últimos grandes yacimientos, antes del definitivo declive del estado tejano en la producción de crudo. Por lo tanto, si bien millonario, Bush no incrementa exponencialmente su fortuna. La cada vez más difícil explotación del petróleo en Texas —que debió, y no lo hizo, disuadir a Bush hijo de meterse en ese negocio— provocó algunos roces entre Bush y sus socios, que sin embargo se resolvieron de forma amistosa. Esta vez, no se cayó, que se sepa, ningún avión. Los Liedtke se quedaron con Zapata Oil y Bush se quedó con Zapata Offshore, empresa cuyo objetivo era extraer petróleo de la costa tejana, el Caribe y sus islas.

Estamos hablando de inicios de los '60, cuando se produce la fallida invasión de la CIA a Cuba denominada Bahía de los Cochinos. Vale recordar que, no por casualidad, el nombre clave interno de la operación dentro de la CIA, de la cual Bush sería director unos 25 años más tarde, era "Operación Viva Zapata". Los barcos con los cuales se realizó la invasión se llamaban Zapata, Barbara (nombre de la esposa de Bush padre) y Houston, para aquella época, ciudad donde residía la familia Bush.

Un poderoso detalle es que en esta fallida operación, quizá destinada de antemano al fracaso por la propia CIA, según algunos especulan, a fin de poder culpar al presidente John F. Kennedy, tuvo una vital participación el director de la CIA que sería expulsado de ese cargo por Kennedy pocos meses antes de morir: Allen Dulles. Dulles, como veremos más adelante, era desde hacía muchos años gran amigo de Prescott Bush, quien no desayunaba en la cama todos los días con su esposa Dorothy, sino en un bar con Dulles.

Bush padre jamás admitió haber sido miembro de la CIA antes de ocupar su dirección, durante la presidencia de Gerald Ford. Sin embargo, la rutinaria desclasificación de información confidencial que llevan a cargo los organismos norteamericanos (ahora suspendida por Bush hijo) ha hecho que un curioso papel, firmado nada menos que por J. Edgar Hoover, director por casi cuarenta años del FBI, viera la luz. El memorándum data del 29 de noviembre de 1963, tan sólo una semana después del asesinato de Kennedy. En él, Hoover señala que información oral acerca del asesinato de Kennedy fue dada al señor George Bush, miembro de la CIA. Bush se defendió diciendo que se trataba de un homónimo, el cual verdaderamente existía. Consultado el homónimo, manifestó no tener idea de lo que se trataba.

Siguiendo con referencia al tema Kennedy, Bush padre habría estado en contacto con grupos de cubanos anticastristas antes del asesinato de Kennedy. Debe recordarse al respecto que dentro de la vasta gama de teorías conspirativas acerca de dicho crimen, algunas de las más confiables señalan la presencia de cubanos anticastristas en la conspiración. ¿Tenían contacto con Bush padre? Como se recordará, la tesis oficial acerca del asesinato de Kennedy señalaba la existencia de un único y solitario tirador: Lee Harvey Oswald. Pues bien, el encargado de supervisar a Oswald antes del asesinato de Kennedy era un tal George De Mohrenschildt, quien era agente de la CIA y había sido conde ruso. De Mohrenschildt murió en muy oscuras circunstancias cuando estaba por aportar más información acerca de Oswald, su estadía previa en México y la muerte de Kennedy. Entre otras anotaciones, en su libreta personal de teléfonos se encontró la siguiente inscripción: "Bush, George H.W. (Poppy) 1412 W. Ohio also Zapata Petroleum Midland" y el número telefónico "4-6355". Pocas dudas pueden quedar de que Bush era al menos sólido contacto de la CIA, además de empresario petrolero, al momento de la muerte de Kennedy.

Hay otra incógnita, un "nexo" entre la muerte de Kennedy y el escándalo de Watergate que estaba arrasando con la administración Nixon. Entre algunas de las grabaciones se escucha a Nixon muy nervioso, haciendo referencia varias veces a los "tejanos", los "cubanos" y al "asunto de la Bahía de los Cochinos", en referencia a la muerte de Kennedy. Es un factor que ha abierto enormes especulaciones (aunque no en los medios masivos de comunicación) acerca de la cantidad de ex presidentes posteriores al crimen que participaron de él o ayudaron a encubrirlo.

Pero si recordamos que el cuartel general de la CIA se llama "George Bush", desde hace varios años y con el propio Bush padre vivo, se debe tener en cuenta que muy difícilmente una organización como la CIA otorgue tamaño honor a un director que duró sólo un año en su puesto y que antes no había prestado servicios para la Agencia, tal como Bush declara, sin que hayan otros importantes factores que no sabemos.

En la Comisión Warren, encargada de investigar oficialmente el crimen de Kennedy, tomó activa participación el viejo amigo de Prescott Bush: Allen Dulles, jefe de la CIA expulsado por Kennedy. Dulles se había despedido de Kennedy con una sola palabra, diciéndole "traidor". Y ahora resulta que Dulles, el amigo de Prescott de diario contacto, investigaba quién había asesinado a Kennedy.

Volviendo a "Poppy", muchos años más tarde, cuando ya goza de más poder, mandará a destruir toda la información contable de su empresa Zapata Offshore, entre los años 1960 y 1966. Pero en esa época, ello todavía no le preocupaba. Decide iniciar su carrera política en 1964 para acceder al Senado. Para ello, asume posturas radicales de ultraderecha, que no son del paladar de la gente, y es derrotado. Hacia 1966, decide acomodar su discurso, al que modera, mostrándose lejos del ultraderechismo de 1964. Vuelve a intentar ganar una banca en el Senado, y pierde otra vez. Tras eso logró ocupar una banca de diputado. Es llamativo que, a pesar de la oscuridad política de Bush, Richard Nixon lo convocara durante su primer gobierno para ser nada menos que embajador ante las Naciones Unidas bajo la supervisión directa de Henry Kissinger. Alguien podría preguntarse por qué causa Nixon elige a un político muy poco popular, con ideas políticas sumamente cambiantes, muy acomodaticio, para un puesto de tal importancia, ante un panorama mundial que se mostraba especialmente conflictivo tras los acontecimientos vividos en Medio Oriente en la década del 60. La respuesta es sencilla: pertenecer a Skull & Bones tiene sus privilegios.

Mientras es embajador en Naciones Unidas, Bush padre establece gran cantidad de lazos y relaciones con embajadores y mandatarios de todos los países del mundo, generando así, para sí mismo, una red de importantísimos contactos. Especialmente interesantes son los que cultivó con la República Popular China. Fue mientras Bush era embajador en Naciones Unidas que Estados Unidos "soltó la mano" de su aliado incondicional, Taiwán, y aceptó la condición de Mao Tse-tung, en el sentido de que China Popular ingresaría al Consejo de Seguridad de Naciones Unidas sólo si era la única República China presente en ese organismo. En la segunda presidencia de Nixon, ya destapado (¿destapado?) el escándalo de Watergate, Nixon encomienda a Bush un puesto clave: jefe del Comité del Partido Republicano. Esto ocurre nada menos que en el momento en que la colaboración del partido para esclarecer el escándalo de espionaje en el que Nixon se había metido era fundamental. Bush desarrolla durante esos años, entonces, una oscura y secreta tarea. Algunos testigos clave del tema Watergate nunca pudieron llegar a declarar todo lo que sabían: morían antes a causa de extraños ataques cardíacos.

Tras intentar vanamente ocupar la vicepresidencia, debido a la escandalosa renuncia del vicepresidente de Nixon por lazos con la mafia, Bush es destinado como embajador en Pekín. En aquel momento, la popularidad de Bush entre sus pares políticos en el Congreso era tan baja, a causa de su participación en el tema Watergate, que había que mandarlo lo más lejos posible, sin solicitar la aprobación del Congreso. La única embajada que no requería de acuerdos parlamentarios era la de Pekín. Allí forma excelentes lazos con los principales funcionarios del régimen comunista de Mao. Trabaja para Kissinger y prepara la visita de Nixon a Pekín. Las buenas "migas" con los comunistas no se debían sólo a una mera cuestión diplomática o a un tema estratégico. La elite anglo-norteamericana, aunque predica la libre empresa y el individualismo, siempre fue secretamente partidaria de un raro tipo de socialismo. Ya explicaremos esto más adelante.

Cuando Gerald Ford reemplaza a Nixon, llama a Bush y le ofrece ser director de la CIA. Bush realizó una gran reorganización de la misma, nombrando a una gran cantidad de amigos en ese organismo. Durante el corto año que Bush dirigió la CIA, una serie de raros episodios ocurrieron. Entre ellos, la intempestiva renuncia del primer ministro británico, a quien la CIA acusaba de ser un espía para los soviéticos. Este hecho habría sido del paladar del poderoso clan Rothschild, que venía haciendo todo lo posible para que el laborista Harald Wilson dejara su puesto en Inglaterra. Se iba preparando el terreno para el ascenso de Margaret Thatcher. Se produce, además, la aprobación del decreto 11.905, que autorizó a la CIA a conducir operaciones de contrainteligencia dentro de Estados Unidos. Como consecuencia de ello, se produce uno de los pocos atentados terroristas, en aquella época, dentro de Estados Unidos, cuando en Washington DC le vuelan el automóvil al ex canciller chileno del régimen de Allende: Orlando Letelier.

En aquel año, 1975, había en Estados Unidos un clima general de gran desconfianza hacia las agencias de inteligencia. Principalmente se dirigía a la CIA y al FBI. Ford, percibiendo este clima, decidió crear una comisión parlamentaria para que examinara a las agencias de inteligencia. Pero en realidad está en duda de que haya deseado investigar auténticamente. Ya la Comisión Warren había enterrado la investigación sobre el asesinato de Kennedy haciéndole creer a la población que había sido obra de un "loco suelto". Ahora Ford ponía en manos nada menos que de Nelson Rockefeller la investigación de la CIA y del FBI. Tanto es así que dicha comisión fue bautizada "Comisión Rockefeller". Cuando Ford pierde las elecciones con Carter, Bush entra en un corto período de oscuridad del cual muy poco se sabe. Para el público seguía siendo un desconocido. Pero había acumulado cargos absolutamente "claves". Había cosechado cuantiosos amigos en una enorme cantidad de países del mundo en puestos directivos, había puesto a su gente en la CIA, era un hombre de absoluta confianza de los clanes empresariales más poderosos de Estados Unidos. Así es como lanza su campaña para presidente de la Nación. Sin embargo, pierde las internas partidarias de las elecciones de 1980 frente a Ronald Reagan, quien lo selecciona como su candidato a vicepresidente, muy a su pesar, por varios motivos: primero, por la enorme red de contactos que Bush poseía; segundo, porque resultó del paladar de Reagan una declaración de Bush en el sentido de que Estados Unidos estaba en condiciones de ganar una guerra nuclear, y tercero, las presiones de la elite eran escuchadas por Reagan. Sobre todo desde que su futuro director de la CIA (y ex agente de la agencia), William Casey, se constituyera en su jefe de campaña.

Apenas iniciado el gobierno de Reagan, Bush logró para sí algunas de las atribuciones muy importantes en materia de seguridad y relaciones exteriores, como integrar el estratégico National Security Council, y colocar a varios de sus amigos, o correligionarios muy afines, como James Baker III, Caspar Weinberger, John Poindexter y William Casey, en áreas clave del gobierno. Reagan ya estaba cerca de ser octogenario, no tenía mucha "tropa propia" para ocupar los más altos cargos de la administración, debía dormir todos los días la siesta para poder desarrollar tareas a la tarde, y hasta debían guionarle casi todas las apariciones en público. Un presidente de esas características —por más derechista fanático en el discurso que resultara— podía ser presa fácil de un vicepresidente ambicioso como Bush. Pero, aun así, parece que esto no era suficiente.

En 1981 Estados Unidos padeció el segundo atentado a la vida de un presidente en sólo 17 años. Un joven desconocido, John Hinckley Jr., casi lo mata de un tiro. El episodio fue aprovechado al poco tiempo por Bush para desplazar a su archienemigo de la administración Reagan, el general Alexander Haig, y copar el gobierno de Reagan con gente propia. Lo curioso es que pueda haber hecho esto a pesar de que poco tiempo más tarde se empezó a conocer que John Hinckley Jr. era amigo de uno de los hijos de Bush: Neil Bush. No sólo se conocían, sino que habían participado de fiestas de cumpleaños juntos y también se había empezado a señalar que Hinckley Jr. habría sido "reclutado" posiblemente por la CIA, la cual hasta le habría lavado el cerebro[8].

Reagan no murió, pero sí quedó muy debilitado. Durante

[8] Recordar que el asesino de Robert Kennedy en 1968, Sirhan Sirhan, habría disparado a Kennedy bajo hipnosis y que la CIA ya hace mucho tiempo venía desarrollando en secreto el proyecto MK-Ultra, de control mental.

los dos mandatos de Reagan, Bush ejerció mucha más influencia que cualquier otro vicepresidente norteamericano del siglo XX. La denominada operación "Irán-Contras", por medio de la cual la CIA proveía de armas al enemigo Irán para que sostuviera la guerra con Irak, habría sido diagramada por Bush y su gente a partir de los fluidos contactos que Bush y los suyos habrían tenido desde la denominada operación "October Surprise"[9]. El tema era realmente escandaloso, no sólo porque se armaba hasta los dientes al enemigo sino también porque al poco tiempo se decidió destinar los fondos de la venta de armas a crear bases terroristas en Nicaragua para luchar contra el gobierno sandinista que había derrocado a Somoza. Al poco tiempo, la operación se completaría con el envío de cocaína a Estados Unidos. Muchas veces el terrorismo se ubica en países con banderas supuestamente políticas que no son más que una "cortina de humo" para tapar la protección encubierta que los terroristas dan a los narcotraficantes.

El crecimiento exponencial en el lavado del dinero proveniente de la droga también data de esta época, durante la cual

[9] Uno de los peores escándalos durante la presidencia de Jimmy Carter fue la toma de rehenes en la embajada norteamericana en Teherán. Carter no supo cómo manejar la situación, y el personal de la embajada no era liberado, aunque pasaba el tiempo, y se temía por su vida. Khomeini no jugaba cuando amenazaba con pasar por las armas a unas cuantas decenas de norteamericanos. Cuando se acercaban las elecciones, Carter estaba a punto de lograr la liberación de todos los rehenes. Obviamente, Khomeini prefería malo conocido (Carter) que el derechismo de Reagan y Bush. Habría sido en esas circunstancias que cuarenta días antes de las elecciones, Bush y unos pocos amigos se reunieron en secreto en París con emisarios de Khomeini para pedirle que retrasara la entrega de los rehenes hasta después de las elecciones. A cambio del "favor", Bush prometió armas y dinero en efectivo al enemigo. Los rehenes sólo fueron liberados el mismo día en que Reagan y Bush juraron. Las crónicas señalan que las inesperadas muertes del primer ministro portugués Sá Carneiro y de su ministro de Defensa, mediante la caída de un avión poco tiempo más tarde, se debieron a que este último estaba demasiado al tanto de estas negociaciones, y se temía que hablara sobre el tema en la ONU. Portugal era un país señalado para triangular las armas en la operación. Sá Carneiro habría cometido el error de subirse a último momento al avión en el que estaba planeado que volara —y muriera— su ministro de Defensa.

además se generó un proceso de concentración económica a través de diversos mecanismos financieros que produjeron que la economía norteamericana se oligopolizara mucho más. Data también de esta época el lanzamiento por el propio Bush de la campaña mediática "guerra total contra las drogas". A partir de ese momento, el narcotráfico se transformaría en la industria más floreciente en el mundo. En 1988 Bush se convierte en Presidente de la Nación. Durante su mandato ocurren hechos políticos excepcionales: cae el muro de Berlín, se desintegra la Unión Soviética, la ONU entra en guerra con Irak y se producen los recordados sucesos de Tiananmen en Pekín. Cuando en 1993 Bush deja la presidencia, el mundo era otro. En sólo cuatro años, el mundo había cambiado a un ritmo desconocido, mientras Estados Unidos estaba gobernado por primera vez por un ex director de la CIA.

Muchos eran los escándalos que amenazaban destaparse en las postrimerías del gobierno de Bush: el caso BCCI, la operación "Irán-Contras", etc., etc. Además, la inoportuna quiebra fraudulenta de una enorme cantidad de pequeños bancos (entre ellos, principalmente Silverado Savings and Loans, dirigido por Neil Bush) amenazaba con agregar más leña al fuego[10]. Para la elite norteamericana, resultaba entonces una bendición del cielo que un billonario acérrimo enemigo de Bush, Ross Perot, se presentara como candidato a presidente restándole votos a Bush padre y produciendo el ascenso de Bill Clinton en 1993.

Durante los años de Clinton, Bush padre no estuvo inactivo. No sólo ayudó a administrar el Carlyle Group, sino que además realizó una campaña ininterrumpida a favor de la secta Moon, grupo que pretende la instauración de una única religión mundial, que fue acusado repetidas veces de narcolavado, que

[10] Con extrema habilidad, Bush padre maniobró de manera tal que la prensa transformó el escándalo de los pequeños bancos quebrados llamados Savings & Loans en un escándalo parlamentario y estadual al que los medios bautizaron "Keating 5" y que involucraba a algunos de sus enemigos personales, como el senador californiano Alan Cranston. Muchos políticos de primera línea quedaron manchados. La prensa, en cambio, habló muy poco acerca de la participación de Neil Bush en la quiebra de Silverado Savings & Loans.

posee estrechos lazos con la elite anglo-norteamericana y que concentra una gran cantidad de medios de comunicación en su poder. Entre ellos, nada menos que la agencia United Press International (UPI).

Prescott ("Gampy"), el Socio de Hitler

El padre de "Poppy" se llamaba Prescott Sheldon Bush. Como luego lo fue su descendencia, era miembro de Skull & Bones, sociedad en la cual había entrado en contacto con miembros de las familias Harriman y Rockefeller, que también eran educados en Yale. Contrajo matrimonio con Dorothy Walker, la hija del rico empresario George Herbert Walker. De ese matrimonio no sólo nacen varios hijos, sino también grandes negocios en común entre el clan Bush y el clan Walker. Por supuesto, siempre al abrigo de los clanes Harriman y Rockefeller.

El día 20 de octubre de 1942, diez meses después de que Estados Unidos le declaró la guerra al Japón y a Hitler, el presidente Roosevelt ordena la incautación de las acciones del Union Banking Corporation (UBC), bajo la acusación de que el UBC financiaba directamente a Hitler y de que varios nazis prominentes eran accionistas. Prescott Bush era accionista y director del UBC. El tema es especialmente relevante, dado que al asumir en 1933, Hitler había hecho entrar en *default* la deuda externa alemana, contraída, en buena medida, a raíz del tratado de Versalles. Por lo tanto, el crédito internacional a la Alemania nazi estaba cortado. La familia Harriman y su socio Prescott Bush llevaron a cabo los arreglos en Wall Street para que, a través de Franz Thyssen y Friedrich Flich, gran amigo de Himmler y financista directo de las "camisas negras", o sea, las SS, y las tropas de asalto (las SA), Hitler pudiera acceder a cierto nivel de crédito internacional, sin el cual no hubiera podido obtener las divisas necesarias para pagar las importaciones que necesitaba llevar a cabo su carrera armamentística con el fin de entrar en la guerra.

El día 28 de octubre de 1942, Roosevelt ordena la incautación de las acciones de dos compañías norteamericanas que ayudaban a armar a Hitler: la Holland-American Trading Corporation y la Seamless Equipment Corporation. Ambas compañías estaban organizadas y dirigidas por el banco dirigido por Bush y propiedad de los Harriman. El 8 de noviembre de 1942, mientras encarnizados combates se registraban en África, cerca de Algiers, donde morían miles de norteamericanos, el presidente Roosevelt ordena incautar las acciones de la Silesian-American Corporation, dirigida desde hace muchos años por Prescott Bush y su suegro George Walker. Las cuatro incautaciones se realizaron en el marco de la "Trading with the Enemy Act" (Ley acerca de los que Comercian con el Enemigo).

La estrecha colaboración con el régimen de Hitler que realizaban el abuelo y el bisabuelo —a través de dos diferentes linajes— del actual presidente George W. Bush (Dubya) data desde mucho antes del propio ascenso de Hitler al poder. Los Harriman, Prescott Bush y George Walker no sólo habían establecido lazos con Hitler, sino también con Mussolini. A Hitler, a través de la asociación con la German Steel, lo proveían, entre muchos otros materiales, específicamente de 50,8% del acero para generar el material bélico del Tercer Reich, de 45,5% de las tuberías que necesitaba la Alemania nazi, y de 35% de los explosivos con los cuales Hitler masacraría a sus enemigos. Cualquier alemán que tuviera carnet prominente del Partido Nacionalsocialista de Hitler (NSDAP) podía disfrutar de un viaje gratuito en otra compañía de los Bush y los Walker: la Hamburg-Amerika Line, empresa que poseía el monopolio comercial entre Estados Unidos y la Alemania de Hitler, y que le había hecho un enorme favor a Hitler en 1932 cuando la desfalleciente República de Weimar preparaba un último y fallido intento para impedir el acceso de Hitler al poder. El gobierno de Weimar iba a ordenar el desbande de los ejércitos privados de Hitler. La Hamburg-Amerika Line compró y distribuyó propaganda contra el gobierno de Weimar por intentar un ataque de último momento contra Hitler. Pero el gran apoyo a los nazis no es lo único que puede resultar curioso. Es necesario tener en cuenta que a Hitler y a Stalin les hubiera resultado mucho más dificultoso guerrear entre sí, si el tándem Harriman-Bush-Walker no hubiera por un lado armado hasta los dientes a Hitler y, por el otro, proveído de combustible a las tropas rusas. La familia Walker, desde los años 20, extraía petróleo de Bakú (Azerbaiján) y se lo vendía al Ejército Rojo.

Puede que al lector toda esta información le llame la atención. No debería. Antes y durante la Segunda Guerra Mundial, la Standard Oil, dirigida por la familia Rockefeller, tenía un *joint-venture* con la poderosa empresa química alemana I.G. Farben. Muchas de las plantas conjuntas de la Standard Oil e I.G. Farben se situaban en las inmediaciones de los campos de concentración de Hitler como Auschwitz, de los cuales se surtían de mano de obra esclava, con la cual se fabricaba una variada gama de productos químicos, entre los cuales se contaba el gas letal Cyclon-B, profusamente usado en los campos de concentración para masacrar a los propios obreros esclavos que lo fabricaban. El hecho de que al terminar la Segunda Guerra Mundial una enorme cantidad de ciudades alemanas se encontraran en ruinas no impidió a las tropas norteamericanas tener el mayor cuidado posible cuando se trataba de bombardear en zonas cercanas a las plantas químicas propiedad conjunta de la I.G. Farben y Standard Oil. Alemania se encontraba en ruinas en 1945, pero esas plantas químicas estaban intactas.

El lector ahora puede entender un poco más por qué no se suele recordar el pasado, por qué la "historia oficial" está tan alejada de la verdad. Ahora sabemos algo más, también, acerca de por qué los Bush son como son. Nada de todo esto se dice en la escueta biografía que aparece en el sitio oficial del Congreso norteamericano, donde Prescott ("Gampy") Bush ocupó su banca de senador hacia fines de los '60 por el estado de Connecticut. Tampoco en la reciente biografía "oficial" aparecida casi simultáneamente con la invasión a Irak, intitulada *Duty, honor, country. The life and legacy of Prescott Bush*, escrita por Mickey Herskowitz, en la que los hechos se "lavan" y desdibujan. En cambio sí pueden observarse fotografías de tiernos niños vendiendo naranjada a tres centavos el vaso, con un cartel que reza:

"Help Send 'Gampy' to Washington" para colaborar en su campaña.

Toda esta información acerca del abuelo y del bisabuelo del actual presidente norteamericano llama naturalmente la atención. Pero el ambiente antes de la Segunda Guerra Mundial dentro de Estados Unidos, especialmente dentro de la elite anglonorteamericana, era bastante diferente de lo que hoy la prensa nos hace pensar. Baste citar algunos ejemplos:

(a) Cuando George Bush padre fue elegido vicepresidente en 1980, nombró a un misterioso hombre, William Farish III, apoderado de todos sus bienes para que los maneje. La asociación entre los Bush y los Farish data de antes de la Segunda Guerra Mundial, cuando William Farish I dirigía en Estados Unidos el cartel formado entre la Standard Oil of New Jersey (hoy Exxon) y la I.G. Farben de Hitler. Fue esta empresa mixta la que abrió el campo de concentración de Auschwitz el 14 de junio de 1940 con el fin de producir caucho sintético y nafta de carbón. Cuando esta información en aquella época se empieza a filtrar a la prensa, el Congreso norteamericano realizó una investigación. Si la misma hubiera ido hasta sus últimas consecuencias, probablemente hubiera producido un daño sin retorno al clan Rockefeller. Sin embargo, la investigación frenó con la caída del jefe ejecutivo de la Standard Oil, William Farish I.

(b) La Shell Oil, cuyo principal dueño es la corona real británica, también ayudó al ascenso de Hitler al poder mediante arreglos de su poderoso director Deterding efectuados con el gobernador del Banco de Inglaterra, Montagu Norman.

(c) Entre el 21 y el 23 de agosto de 1932 se llevó a cabo en el American Museum of Natural History de Nueva York el Tercer Congreso Mundial de Eugenesia ("eugenesia" es un término que reemplaza la expresión "higiene racial", para que suene menos fuerte). El evento se llevó a cabo a pesar de la fuerte oposición de los afroamericanos. Los procedimientos para que el congreso se llevara a cabo fueron financiados por miembros de la familia Harriman, que venían donando fondos desde 1910 para generar un movimiento científico racial, al punto de construir el Departamento de Información Eugenésica, como sucursal de un laboratorio con base en Londres. George Herbert ("Bert") Walker, bisabuelo de George W. Bush, solía escoltar a los Harriman a las carreras de caballos, durante las cuales, junto a miembros de los Bush y de los Farish, solía discutirse la forma en que debían mezclarse genéticamente tanto los caballos como los humanos.

(d) W. Averell Harriman arregló personalmente con la Hamburg-Amerika Line, manejada por los Walker y los Bush, el transporte de ideólogos nazis de Alemania a Nueva York para ese congreso. Entre esos "científicos" se despachó al principal ideólogo racista que tenía Hitler, el psiquiatra Ernst Rüdin, quien en Berlín venía desarrollando investigaciones raciales financiadas por el clan Rockefeller. A fin de tener una adecuada idea del "pedigree" de Rüdin, vale recordar que en un encuentro de científicos en Munich en 1928 había titulado su conferencia "Aberraciones mentales e higiene racial". Rüdin ya había encabezado la delegación alemana al Congreso de Higiene Mental realizado en Washington DC en 1930.

(e) Este movimiento racista, presente tanto en Alemania como en la elite anglo-norteamericana, basaba su accionar en tres puntos: la esterilización de pacientes mentales (mediante la formación de sociedades de higiene mental), la ejecución de los dementes, criminales y enfermos terminales (sociedades eutanásicas), y la purificación racial mediante la prevención de nacimientos de padres de razas inferiores (sociedades del control de la natalidad). Como se ve, Hitler no estaba solo en su campaña racista. Estaba acompañado por algunos de los clanes más ricos del mundo.

(f) Heinrich Himmler, máximo jefe de las nazis SS, recibía fondos en una cuenta especial de la Standard Oil manejada por el banquero británico-americano Kurt von Schroeder. Ese finan-

130

ciamiento habría continuado incluso hasta bien entrado 1944, cuando las SS estaban encargadas de supervisar las masacres masivas en Auschwitz (donde estaba la fábrica de la Standard Oil-I.G. Farben) y en otros campos de la muerte. Luego de la guerra, los interrogadores aliados recibieron información de que esas contribuciones provenían de fondos corporativos de la Standard Oil. Este escándalo en su momento provocó la caída de Farish I, aunque nada ocurrió con John D. Rockefeller II. La amistad y colaboración entre los clanes continuaría a través de las generaciones, como lo demostraría la confianza de Bush padre en William Farish III.

(g) Luego de la Segunda Guerra Mundial, el movimiento eugenésico recomenzó en Estados Unidos en 1946, en North Carolina. Allí la familia Gray, dueña principal de R. J. Reynolds Tobacco, a través de contactos con la corona británica, funda una escuela de medicina en Winston-Salem. Allí el Dr. Clarence Gamble, heredero de Procter & Gamble, llevaría a cabo un experimento entre 1946 y 1947. El experimento consistió en tomar un test de inteligencia a todos los niños enrolados en el distrito escolar de Winston-Salem. Aquellos niños cuyo test no dio el mínimo esperado fueron esterilizados quirúrgicamente.

(h) En 1950 y 1951, John Foster Dulles (hermano del citado Allen Dulles), por entonces jefe de la Fundación Rockefeller, llevó a John D. Rockefeller III a una serie de tours mundiales, cuyo foco era la necesidad de parar la expansión de las poblaciones no blancas. En noviembre de 1952, Dulles y Rockefeller fundan el Population Council, con decenas de millones de dólares de la familia Rockefeller. Es en este momento en el que la American Eugenic Society deja silenciosamente, debido a la mala publicidad que había tenido el "asunto Hitler", su sede de la Universidad de Yale para mudarse al Population Council. Al mismo tiempo, la Federación Internacional de Paternidad Planeada es fundada en Londres en las oficinas de la British Eugenic Society.

Quizás ahora pueda explicarse mejor por qué, veinte años antes de ser presidente de la Nación, George Bush padre puso a dos profesores racistas al frente de la Republican Task Force on Earth, Resources and Population. Daba la coincidencia (¿coincidencia?) de que Bush padre era el jefe de esa comisión en la Cámara de Diputados. Fue Bush padre en persona quien el 5 de agosto de 1969 brindó ante la Cámara de Diputados de Estados Unidos en pleno un debate sobre la amenaza que representaba la mayor tasa de natalidad de bebés negros.

Mucho menos aún nos debe llamar la atención, entonces, cuando se nos cuenta la vieja anécdota —real— acerca de que el viejo Prescott Bush, en su último año en Yale, como miembro prominente de Skull & Bones, encabezó una incursión nocturna a un cementerio apache con el objetivo de profanar el cadáver del cacique Gerónimo y robar su calavera como trofeo para Skull & Bones, lo que logró. Muchos años más tarde, cuando los pocos apaches que hoy sobreviven en Estados Unidos hicieron el reclamo para que les fuera devuelta la cabeza de Gerónimo, Prescott Bush los volvió a engañar: les dio la calavera de un niño. No se sabe cómo la obtuvo.

Si la elite anglo-norteamericana, profundamente racista, logró nada menos que dos miembros del clan Bush (no menos racista) accedieran a la presidencia de la única superpotencia mundial con sólo ocho años de diferencia, es obvio que el control que ejercen sobre el aparato político norteamericano es enorme. A Bush hijo no le costó casi nada recaudar 60 millones de dólares para su campaña. Lo hizo en un par de semanas. La elite que controla el petróleo, la banca, las armas y los laboratorios medicinales también influye de manera determinante en los partidos Republicano y Demócrata. Mientras los Rockefeller ejercieron —y ejercen— una influencia decisiva en el Partido Republicano, los Harriman han ejercido una influencia aplastante en el Partido Demócrata durante casi todo el siglo XX, al punto de que nadie accedía a la presidencia de Estados Unidos por este partido sin tener una foto con un Harriman, sobre todo con W. Averell Harriman, el todopoderoso diplomático que ayudó a diseñar el mundo de la Guerra Fría tras la caída de

Hitler. Obviamente, los Rockefeller, los Harriman, los Mellon, los Morgan, los Du Pont y los europeos Rothschild son muy amigos entre sí. A veces los Rockefeller y los Harriman deciden intercambiar los partidos políticos en los que influyen, dando una sensación de pluripartidismo familiar. Quizá por eso John D. Rockefeller IV es senador del estado de Maryland por el Partido Demócrata y controla el presupuesto para la investigación de laboratorios medicinales.

Si las cosas son así, entonces, ¿cómo pudo ocurrir que Bill Clinton llegara a la presidencia estadounidense y demorara ocho años la campaña de Irak?

Clinton, el socio del silencio

La operación Irán-Contras fue probablemente una de las más gigantescas operaciones ilegales encubiertas que se hayan llevado a cabo. Requirió mover entre países enormes cantidades de armas para hacer posible la guerra Irán-Irak y el terrorismo en Nicaragua. Movilizó enormes cantidades de dinero pagado por el petróleo iraní para poder adquirir esas armas y a numerosísimos agentes de la CIA. Corrompió estructuras internas en Israel y Honduras, países que sirvieron de intermediarios para introducir armas en Irán y Nicaragua, respectivamente. Dotó de un presupuesto informal muy importante a la CIA. Enriqueció a muchos agentes de la misma. Movilizó enormes cantidades de dinero en operaciones ilegales de lavado. Favoreció e impulsó el contrabando de cocaína a Estados Unidos a través de bases en Nicaragua. Y, finalmente, ensució secretamente a Bill Clinton.

Clinton era gobernador de Arkansas en el exacto momento en que la CIA decide "dar una vuelta de tuerca" a la operación Irán-Contras. La misma se venía efectuando con un margen de ilegalidad menor hasta que el Congreso norteamericano decidió prohibir el envío de armas a los contras nicaragüenses. La CIA no sólo habría violado sistemáticamente esa prohibición, sino que además habría decidido sacar provecho económico del envío de armas a los guerrilleros: les solicitó como pago por las armas la posibilidad de que les fuera enviada cocaína vía Nicaragua, dado que la DEA estaba supervisando la costa caribeña.

Para que la operación se pudiera llevar a cabo, resultaba necesario encontrar un aeropuerto seguro dentro de Estados Unidos, en el que se pudieran embarcar armas en forma ilegal, y recibir la cocaína. Quedaban desestimados todos los grandes aeropuertos cerca de importantes ciudades. Era necesario encontrar un aeropuerto alejado, en la jurisdicción de "un amigo". Arkansas era el estado ideal por sus características desérticas y no demasiado alejadas de Nicaragua (como sí lo estaban los más desérticos estados del oeste) para realizar estas operaciones ilegales desde varios puntos de vista. Se habría seleccionado, entonces, al aeropuerto de Mena, en el estado de Arkansas, y nada menos que mientras era gobernado por Bill Clinton. De allí que han ido *in crescendo* las voces que señalan que Bill Clinton no ha sido otra cosa que un secreto colaborador de la CIA, a punto tal de que el ocupar su puesto habría permitido, entre otras cosas, la no clarificación completa del triste atentado producido en Oklahoma en 1995, cuando casi 200 personas murieron. La elite y la CIA habrían considerado que Clinton estaba virtualmente "en sus manos" desde mucho antes de ser presidente de la república. Habría que remontarse a los orígenes de la carrera política de Clinton para entender esto de forma más cabal. No tenemos espacio suficiente aquí para ello. Pero diremos, por ejemplo, que Clinton obtuvo una beca Rhodes para estudiar en Oxford gracias al padrinazgo político del senador William Fullbright.

Para que se entienda mejor esto, es necesario mencionar que Cecil Rhodes —fundador de las becas Rhodes— donó su fortuna al morir para generar mecanismos a fin de que el imperio británico gobierne al mundo entero, a través de un régimen caracterizado por naciones debilitadas como tales. El mismo Rhodes había colaborado en instalar regímenes racistas en Sudáfrica y Rhodesia, hoy Zimbabwe, que llevaba su nombre. El senador Fullbright, padrino político de Clinton junto a Pamela Churchill Harriman, es el autor de la siguiente frase: "El caso de un gobierno a cargo de la elite es irrefutable... Un gobierno llevado a cabo por la gente es posible, pero altamente improbable", en el Simposio del Comité de Relaciones Exteriores del Senado de 1963.

Ahora estamos en mejores condiciones de entender cuáles son los reales antecedentes de Bill Clinton. De todas maneras, Clinton no resultaba una persona de la misma confianza de la elite que Bush. Se entiende: los Bush venían colaborando con la elite desde hacía varias generaciones y muchas décadas. A cambio conseguían contratos en minúsculas compañías petrolíferas, y participaciones como consejeros en grupos financieros. En contrapartida, claro está, tenían que poner la firma y prestar el nombre cuando, por ejemplo, había que financiar, enviar armas, comerciar o vender materias primas a Hitler. Los "pecadillos" sexuales y las desprolijidades de los Clinton con el tema Whitewater habrían operado, entonces, como meras fachadas para "ajustar los tornillos" del gobierno Clinton y hacerle entender a Bill que, si era necesario, podía haber otro presidente que dejara anticipadamente el poder, como ya lo había hecho Nixon.

Billy the Kid

Son muchos los actos atroces cometidos durante la administración Clinton que han pasado inadvertidos o fueron "lavados" por los medios de prensa. Narraremos aquí uno de los hechos más significativos, cuya causa real aparece si se investiga sólo un poco. En 1994 se comete en el mundo uno de los peores genocidios de la historia. Entre medio millón y ochocientos mil ruandeses son asesinados por sus propios compatriotas. Los medios de prensa más importantes presentaron el hecho como una mera lucha tribal que adquirió proporciones gigantescas por una especie de "barbarismo" propio de pueblos muy subdesarrollados. En realidad, la historia parece haber sido bastante diferente. En "Censored 2001" (obra que recoge anualmente todas las notas periodísticas censuradas en los principales medios de comunicación norteamericanos) una nota de David Corn menciona textualmente que "Bill Clinton y su administración permitieron el genocidio de 500.000 a 800.000 ruandeses en

1994. En un claro esfuerzo por no asumir la responsabilidad y la vergüenza, la administración de Clinton ha rehusado desempeñar un rol para impedir el genocidio en Ruanda". La nota también menciona que las tropas de paz de la ONU, conducidas por el general canadiense Romeo Dallaire, habían hecho un desesperado pedido a las Naciones Unidas para que enviaran un refuerzo de sólo 3.000 cascos azules para prevenir una matanza a gran escala prácticamente "cantada". Sorpresivamente, Clinton y su embajadora en las Naciones Unidas, Madeleine Albright, no sólo bloquearon la posibilidad de enviar tropas, sino que Albright es citada como que "ponía obstáculos a cada paso". El genocidio, a punta de cuchillo, tuvo lugar ante la propia mirada de los 2.000 soldados que Dallaire conducía en Ruanda, que nada pudieron hacer.[11]

¿Cuál fue el uso de tal matanza a gran escala? Yaa-Lengi Ngemi lo narra con claridad en su obra *Genocide in the Congo (Zaire)*. Ngemi cuenta que una vez ocurrida la matanza, tanto Ruanda como sus vecinos Uganda y Burundi comenzaron a estar conducidos por una misma tribu: la hutu. Los tres países, gobernados por dirigentes amigos y racialmente afines, produjeron un golpe de Estado en Zaire, ocupando, sus tropas mancomunadas, parte de su territorio. ¿Por qué tanto interés por Zaire, al punto de permitir pasivamente un previo genocidio en Ruanda? Ngemi lo aclara rápidamente: no se trata de otra cosa que las riquezas mineras de Zaire, entre ellas, dos minerales considerados estratégicos para la industria de armamentos de EE.UU.: el manganeso y el cobalto. El primero sirve para que el acero no se quiebre con facilidad, y el segundo es vital en aleaciones que usan hoy los sofisticados armamentos desarrollados por las empresas relacionadas con el Pentágono. Estos minerales, considerados estratégicos juntamente con el cromo y el platino, se dejaron de extraer en el suelo estadounidense en la dé-

[11] Pocos años más tarde, informaciones de prensa dan cuenta de que por las noches era frecuente ver en una plaza canadiense a un solitario alcoholizado. Su nombre: Romeo Dallaire. No pudo soportar no poder hacer nada frente a la masacre incentivada desde "el mundo civilizado".

cada del setenta, debido al agotamiento de las canteras norte-americanas. Desde allí en adelante, EE.UU. debe importar estos cuatro minerales estratégicos muy raros de conseguir. ¿Y dónde se encuentran los mayores yacimientos del mundo? Ultracon-centrados en Sudáfrica, Zambia, Zimbabwe y... Zaire. Podemos tener una idea entonces no sólo de por qué se impidió el envío de unos escasos 3.000 "cascos azules" para evitar la matanza en Ruanda, sino de por qué la zona que comprenden estos países es siempre "caliente", con frecuentes guerras y grupos armados terroristas en naciones vecinas como Angola (que además posee petróleo) y Mozambique.

Estamos en condiciones entonces de darnos cuenta de que el verdadero poder en la única superpotencia mundial no está en la Casa Blanca. Al menos últimamente, la Casa Blanca sólo parece ser ocupada por "presidentes-marionetas". Algunos más obedientes que otros, algunos más cercanos que otros, algunos más socios que otros (cuando hay sociedad, siempre es en escala pequeña). Algunos más amigos que otros. Pero el poder está en otro lado, en otra parte. ¿Dónde?

BIBLIOGRAFÍA

ABRAHAM, Rick: *The dirty truth. The oil & chemical dependency of George W. Bush. How he sold out Texans & the environment to big business polluters.* Mainstream Publishers, 2000.

BOWEN, Russell: *The immaculate deception. The Bush crime family exposed.* America West Publishers, 1991.

BREWTON, Pete: *The Mafia, CIA & George Bush.* S.P.I. Books, 1992.

BUSH, George W.: *A charge to keep.* William Morrow and Company, 1999.

EVANS-PRITCHARD, Ambrose: *The secret life of Bill Clinton. The unreported stories.* Regnery Publishing, 1997.

FRIEDENBERG, Daniel: *Sold to the highest bidder.* Prometheus Books, 2002.

HATFIELD, J. H.: *Fortunate son. George W. Bush and the making of an American president.* Soft Skull Press, 2001.

HERSKOWITZ, Mickey: *Duty, honor, country. The life and legacy of Prescott Bush.* Rutledge Hill Press, 2003.

Mc GRATH, Jim: *Heartbeat. George Bush in his own words*. Scribner, 2001.

MILLER, Mark Crispin: *The Bush Dyslexicon. Observations on a national disorder*. W. W. Norton & Company, 2001.

MINUTAGLIO, Bill: *First son. George W. Bush and the Bush family dynasty*. Times Books-Random House, 1999.

RAPPOPORT, Jon: *Oklahoma City bombing. The supressed truth*. The Book Tree, 1995.

REED, Terry; CUMMINGS, John: *Compromised: Clinton, Bush and the CIA. How the presidency was co-opted by the CIA*. S.P.I. Books, 1994.

STICH, Rodney: *Drugging America. A trojan horse*. Diáblo Western Press, 1999.

STICH, Rodney: *Defrauding America*. Diablo Western Press, 2001.

SUTTON, Antony: *The two faces of George Bush*, 1988.

TARPLEY, Webster; CHAITKIN, Anthon: *George Bush. The unauthorised biography*. 1992. Disponible gratis en la web, en *www.tarpley.net*.

HIGHAM, Charles: *Trading with the enemy. An exposé of the Nazi-American money plot 1933-1949*. Delacorte Press, 1983.

HUCK, Jim: *The truth. www.angelfire.com/ca3/jphuck/rightframe.html*.

PHILLIPS, Peter: *Censored 2001*, Seven Stories Press, 2001.

NGEMI, Yaa-Lengi: *Genocide in the Congo (Zaire)*. Writers Club Press, 2000.

PAONE, Rocco: *Strategic Nonfuel Minerals and Western Security*. University Press of America, 1992.

LAX, Marc: *Selected Strategic Minerals: The Impending Crisis*. University Press of America, 1992.

http://minerals.er.usgs.gov

http://www.globalsecurity.org

5. EL GOBIERNO DEL MUNDO: EL CFR

◆

Dadme la posibilidad de emitir la moneda de un país,
y no me importará quién haga sus leyes.

Nathan Rothschild.

Quiero ser dueño de nada, y controlarlo todo.
La competencia es un pecado.

John D. Rockefeller I.

Hemos escuchado muchas veces que el Banco Central estadounidense, o sea el Federal Reserve Bank (FED), es la entidad más poderosa del mundo. En ese sentido, suele decirse que su jefe, Alan Greenspan, es más poderoso que el propio presidente de Estados Unidos. Razón no le falta a quien piense de esta manera. El FED maneja las tasas de interés de corto plazo del dólar no sólo en Estados Unidos sino en todo el mundo, influye determinantemente sobre las tasas de interés de largo plazo mediante intervenciones en el mercado financiero, agrega o quita dinero de los mercados, acelera o retrae el ritmo de crecimiento y de generación de puestos de trabajo en Estados Unidos y, en menor medida, en el mundo. Influye de manera muy importante en las paridades cambiarias y, por lo tanto, en las corrientes comerciales y en los flujos de capitales del mundo.

Si Greenspan y el FED decidieran ser sumamente estrictos a la hora de emitir moneda, posiblemente provocarían una recesión interna en Estados Unidos, y también global, que bien podría, por ejemplo, bajar las tasas de inflación si éstas fueran altas, pero que arrastraría a una impopularidad a quien ocupe en ese momento la Casa Blanca, impidiendo probablemente su reelección. Más o menos ésa es la historia de lo que ocurrió con George Bush padre. Estados Unidos estaba entrando en recesión y Alan Greenspan, que había sido ratificado en su cargo por Bush padre, demoró demasiado la reducción de las tasas de interés en Estados Unidos. Como consecuencia, en 1991 y 1992 Bush fue perdiendo la enorme popularidad que había ganado en la primera Guerra del Golfo. Y perdió la reelección. Todavía se recuerda la frase, una especie de juego de palabras de Bush al respecto: *"I've appointed him, and he disappointed me"* (Lo designé y me defraudó).

Aunque el FED está en condiciones de generar recesiones, depresiones, reactivaciones y euforias financieras, ante las cuales los políticos de turno en la Casa Blanca o en el Congreso poco pueden hacer para evitar el impacto en los votos que Greenspan o su eventual sucesor pueden indirectamente realizar, sería incorrecto pensar que la real base del poder es el FED. En todo caso, el FED —y Greenspan— también son instrumentos de un poder superior. Para clarificarlo, hablemos un poco, sólo un poco, de historia.

El FED fue creado por ley del Congreso el 22 de diciembre de 1913. Los banqueros privados, en aquel momento, venían criticando en forma pública la ley que creaba un Banco Central en Estados Unidos. Sin embargo, en forma reservada, los principales banqueros norteamericanos se frotaban las manos ante esa ley que habían logrado sacar, entre gallos y mediasnoches, gracias al senador Aldrich, casado con una hija del magnate John D. Rockefeller I. Una gran cantidad de legisladores se encontraban ausentes al acercarse la Navidad, y la votación parlamentaria fue manipulada.

Se trató de un movimiento magistral a la medida de la elite que se originó en conversaciones reservadas entre los principales banqueros en 1910. Para poder crear al FED, la elite financiera y petrolera norteamericana tuvo que manipular las elecciones de 1912. El presidente Taft buscaba la reelección. Pero su partido, el Republicano, se había pronunciado públicamente contra la creación del FED. Así dadas las cosas, la elite decidió fracturar al Partido Republicano en dos. Por un lado, se presentaba Taft. Por el otro, Theodore Roosevelt, ex presidente de la República. La división abrió las puertas para que el manipulable Woodrow Wilson accediera al poder con mucho menos del 50% de los votos. La elite, con su presencia y la del senador Aldrich, se ganaría la seguridad de la aprobación de la creación de un Banco Central privado: el FED.

No cabe duda de que el mejor negocio de la Tierra es emitir moneda. Desde hace siglos los principales banqueros saben muy bien que si la gente acepta como medio de pago un papel emitido por un banquero privado, con la promesa de redimirlo en oro o plata, y prefiere comprar y vender con ese billete y no con oro o plata metálica, entonces tal banquero tendrá la potestad de decidir quiénes deben recibir crédito y cuánto, qué tasas de interés cobrarles, a quién no prestarle. Y todo mediante la creación de medios de pago. Si los banqueros privados observaban que la gente no requería que le redimieran en metálico los billetes puestos en circulación, sino que la población los acumulaba y efectuaba sus transacciones en papel moneda, entonces podían generar de la nada muchos más billetes y ponerlos en circulación. De esta manera, el total de papel moneda superaba con creces las reservas en metálico que los banqueros privados guardaban en sus cajas fuertes. En otras palabras, los banqueros privados tenían la potestad de crear dinero de la nada si la gente aceptaba sus billetes. Y fue lo que ocurrió.

El origen de la propia banca debe buscarse a través de operaciones de este tipo. Los bancos de Inglaterra, Francia y Alemania no comenzaron —como usualmente se piensa— como bancos estatales ni como empresas de las respectivas coronas, sino como bancos privados, controlados en buena medida por la dinastía banquera europea que se había instalado en forma familiar en Inglaterra, Francia, Alemania, Austria e Italia: el clan Rothschild, junto a sus asociadas Kuhn, Loeb, Lehman, Warburg, etc. Que el negocio bancario estaba monopolizado en unos pocos clanes familiares se puede ver simplemente a través de una vieja anécdota: mientras Max Warburg

141

dirigía el Banco Central alemán durante el gobierno del káiser Guillermo II, y se constituía en su banquero personal[1] antes de la Primera Guerra Mundial, su hermano, Paul Warburg, era directivo del FED. El tema alcanzó ribetes escandalosos en Estados Unidos y obligó el rápido reemplazo de Paul Warburg. Otra anécdota: mientras la familia Rothschild era una de las principales accionistas tanto en forma directa como indirecta del propio Banco de Inglaterra, la rama francesa de dicho clan colocaba varios integrantes para dirigir nada menos que el Banco de Francia, el cual sólo fue estatizado luego de la Segunda Guerra Mundial.

El primer Banco Central creado fue el Banco de Inglaterra. Ya antes de las guerras napoleónicas los Rothschild poseían un enorme poder financiero en toda Europa. Deseaban aumentarlo y así establecer las políticas financieras en los principales países europeos. Lo mismo pudieron hacer durante el transcurso del siglo XIX con los bancos centrales de Francia y Alemania. A menudo financiaron guerras entre los países, con la estrategia de prestarles a ambos bandos. De esta manera, cuando las guerras finalizaban, las naciones y las casas reales quedaban debilitadas, endeudadas y, por lo tanto, cada vez más dependientes de los banqueros.

Fueron los Rothschild quienes decidieron ingresar a Estados Unidos financiando a clanes familiares a los que observaban durante mucho tiempo antes de otorgarles fondos para sus emprendimientos, y que resultaban "amigos incondicionales": los Rockefeller, los Morgan, Carnegie, los Harriman, etc.

Por lo tanto, no debe llamar la atención del lector que el FED no sea un Banco Central común y corriente. No es como

---

[1] Este hecho explicaría por qué luego de la Primera Guerra Mundial el káiser Guillermo II no fue juzgado por su responsabilidad en la guerra. Por lo contrario, se toleró su silencioso exilio en Holanda. Su participación en un juicio probablemente habría expuesto sobremanera a muchos de los principales banqueros del mundo como financistas y corresponsables de la Primera Guerra Mundial.

el Banco Central de cualquier país latinoamericano o el Banco Central Europeo. No es un banco central propiedad del Estado. Es, lisa y llanamente, un banco privado. Y se trata de un banco privado propiedad de unos pocos bancos privados. Por ejemplo, de los 19,7 millones de acciones del FED, unas 12,2 millones de acciones (62%) eran propiedad de sólo tres bancos hacia fines de 1994. ¿Qué bancos? El Chase Manhattan, el Citibank y el Morgan Guaranty Trust. Tres grandes apellidos desde hace muchas décadas han controlado y controlan esos tres bancos: Rockefeller, Rothschild, Davison (Morgan). Ese porcentaje habría continuado creciendo merced a las fusiones que se registraron en la última década. Tampoco debe llamar la atención, entonces, que el actual jefe del FED, Alan Greenspan, haya sido director corporativo de JP Morgan, de Morgan Guaranty Trust y de la petrolera Mobil (Standard Oil of New York), antes de ocupar el actual estratégico cargo que posee en el FED.

Vale mencionar como importante detalle que Greenspan, en un ensayo publicado en 1946 en una obra de la novelista e ideóloga Ayn Rand, *Capitalism, the unknown ideal*, ya defendía el monopolio petrolero del cual había gozado la familia Rockefeller en el siglo XIX, con soprendentes argumentos. Sin embargo, en el panegírico biográfico titulado simplemente *Maestro*, que el supuesto "periodista-estrella" del *Washington Post* y ex agente de inteligencia naval Bob Woodward escribió en el 2000, nada se menciona sobre estas contribuciones de Greenspan a la industria petrolera y a los bancos asociados con ella. Tampoco se hace mención a su paso por la Rand Corporation: un *think-tank* militar-industrial-financiero, cuya finalidad es el desarrollo de tecnologías armamentísticas para extender el dominio de Estados Unidos en el mundo, y al cual es muy difícil ingresar por su caracter militar-estratégico.

Greenspan también es un empleado, más técnico, y quizá de mayor jerarquía que el propio presidente de Estados Unidos. Pero no deja de ser un empleado, un empleado de un banco privado propiedad mayoritaria de tres bancos privados. La moneda de Estados Unidos, el dólar, no es la moneda emitida por un país, sino la moneda emitida por el sistema de la reserva federal (FED), y su salud depende en realidad de la salud de esos bancos privados. Es por ello que en el anverso de cualquier billete dólar se lee la expresión "Federal Reserve Note", y no "United States Treasury Note". Aunque no nos extenderemos, simplemente mencionaremos que los dos presidentes de Estados Unidos que intentaron suplantar los Federal Reserve Notes por los US Treasury Notes murieron asesinados antes de concluir sus mandatos.

¿Dónde está el poder, entonces? Es fácil y correcto deducir que unos pocos clanes familiares dominan la estructura de los bienes considerados estratégicos para el dominio global: energía, banca, armas y laboratorios. Pero es ridículo pensar que a esta altura del siglo XXI una decena de personas pueda sentarse a una mesa a decidir qué hacer con el mundo sin más ni más. La realidad es más sutil, más "perfecta", aunque no menos espantosa.

El Poder en el Mundo: El enigmático CFR

Volvamos a hacer un poco de historia. Hacia 1921, una vez terminada la Primera Guerra Mundial y derrocado el régimen zarista en Rusia, la elite petrolera-financiera anglo-norteamericana ya tenía en sus manos —o estaba por tenerlo— el control de los combustibles fósiles en prácticamente todo el mundo. El zar Nicolás II, que había representado un duro obstáculo para este objetivo, ya no gobernaba Rusia sino que lo hacían los bolcheviques, quienes en poco tiempo más firmarían los primeros contratos con las petroleras anglo-norteamericanas. Al controlar la energía del mundo y al influir en sus precios, como hemos explicado en el capítulo 2, se puede controlar también a qué ritmo éste puede crecer, qué rango de salarios reales recibirán los trabajadores, qué cantidad de gente podrá obtener trabajo o no, etc., etc.

Sabedores del real poder que implica controlar a la vez la energía y la banca (incluidos los bancos centrales más poderosos del mundo), estos pocos clanes familiares decidieron establecer dos entidades gemelas, al estilo *think-tanks*, en Nueva York y Londres. Nacieron así el Council on Foreign Relations (CFR) y el Royal Institute for International Affairs (RIIA). A los fines prácticos, ambas entidades operan como una sola. El CFR está compuesto por cerca de tres mil miembros (más de 2.400 estadounidenses), entre los cuales siempre se han contado y se cuentan políticos, economistas, militares, periodistas y educadores. Actúa esta entidad, supuestamente, como un foro de discusión para el debate de las ideas y para mejorar la calidad de vida de los habitantes del mundo. (Cualquier lector puede visitar su sitio oficial en la *web*, en *www.cfr.org*.) Sin embargo, se trata de una institución sumamente particular. Su presidente honorario es David Rockefeller.

En cuanto al CFR, en sus reuniones se permite alguna dosis de disenso, manejado dentro de ciertos límites. Así como la banca Rothschild financiaba en las guerras a los dos bandos de los conflictos, en el seno del CFR se promueve la gestación y aparición de dos posturas acotadamente opuestas, en muchos de los temas económicos o políticos que son priorizados en sus reuniones. Pero el hecho de que haya dos posturas no implica que de antemano el CFR no tenga ya una decisión tomada de cuál va a ser la prevaleciente. La generación de la postura minoritaria, entonces, se lleva a cabo simplemente para dar una apariencia de debate intelecual, cuando en realidad las decisiones ya han sido tomadas. Además, la existencia de dos posiciones tiene un efecto colateral beneficioso a los fines de la implementación práctica de la postura de antemano elegida: se conoce previamente qué pueden llegar a argumentar las voces opositoras que encuentre la postura elegida, una vez puesta en práctica. Es como saber de antemano, en el juego de ajedrez, cuáles serán las próximas dos o tres movidas del adversario. La elite sabe, desde hace mucho tiempo, que la única forma de controlar los conflictos es controlando sus dos bandos.

¿Qué persigue el CFR? ¿Qué buscan los clanes familiares como los Rothschild, los Rockefeller y el Carnegie Endowment for International Peace, que financiaron la creación de los *think-*

tanks?[2] Durante décadas han perseguido la globalización, o sea, el debilitamiento de los Estados nacionales, que permite a las grandes empresas multinacionales instalarse en todo el mundo y ejercer el verdadero y real poder en zonas del planeta donde hasta hace años no tenían entrada. Todo esto se entiende mucho mejor si se tiene en cuenta que el CFR desciende, en realidad, de la llamada Sociedad Fabiana, a la cual Cecil Rhodes y el clan Rothschild financiaban en Inglaterra hacia fines del siglo XIX. La Sociedad Fabiana, a través de un núcleo de intelectuales, muchos de ellos escritores, pretendía instaurar en el mundo entero el socialismo a través de una manera evolutiva no revolucionaria. Veamos cómo enfoca un especialista en el tema, Edgard Wallace Robinson, a la Sociedad Fabiana, en *Rolling Thunder* (1980):

"En 1833, un pequeño grupo de socialistas se reunió en Londres, anunciando su intención de transformar el sistema económico británico del capitalismo al socialismo. Este grupo eligió el nombre de Sociedad Fabiana. Uno de los miembros líderes de la Sociedad Fabiana fue George Bernard Shaw, quien quizá mejor resumió las intenciones de la misma, y al que citaremos: '(...) el socialismo significa igualdad de ingresos o nada (...) Bajo el socialismo no se permitiría que nadie fuera pobre. Forzadamente se lo alimentaría, vestiría, acomodaría, se le enseñaría y emplearía, le guste o no. Si se descubriera que una persona no tiene el carácter suficiente para valer todo este trabajo, posiblemente se lo ejecutaría de una manera gentil. Pero si se le permitiera vivir, debe vivir bien'."

[2] A principios del siglo XX, solía mencionarse en los medios de comunicación que Andrew Carnegie era el hombre más rico del mundo. Hoy se hace profusamente lo mismo con Bill Gates. Las revistas que hacen este tipo de estimaciones de fortunas personales no toman en cuenta, generalmente, que hay múltiples maneras de esconder (con fines impositivos, contables o periodísticos) la propia riqueza bajo formas societarias. Además, el control de los medios de producción, en muchos casos, puede depender de minorías accionarias. O sea, a los fines del poder, es más beneficioso distribuir la riqueza en forma diminuta entre muchas empresas que se controlan, que acumularla masivamente en una sola firma como Microsoft.

El objetivo era, entonces, igualar lo más posible la forma de vida, la riqueza, las costumbres, el acceso al trabajo y, hasta donde sea posible, incluso la religión de las masas en todo el mundo. Si nos ponemos a meditar un segundo, notaremos que esta pretención no es muy diferente de lo que pensaba Cecil Rhodes, y ello explica el financiamiento que el aristócrata inglés le brindó a la Sociedad Fabiana.

Pero ¿por qué el apoyo de los Rothschild? Muy sencillo. A los acaudalados y poderosos clanes familiares que conforman la elite, les conviene generar un régimen social de naturaleza mundial que les pueda hacer conservar el poder. Un régimen socialista en tal sentido los beneficia. Las principales y básicas diferencias con un régimen como el soviético serían entonces dos. En primer lugar, los medios de producción, el capital y las empresas no serían propiedad del Estado como en la ex URSS, sino de unos pocos clanes familiares. En segundo lugar, sería necesaria la generación de bipartidismos para crear la ilusión de democracias, en masas cada vez más socializadas que creen votar por partidos, políticos e ideas diferentes, cuando en realidad... el CFR controla los dos lados de cada conflicto, como lo son en última instancia las elecciones. (Recordar similitudes y diferencias entre los Bush y Clinton del capítulo anterior.). Puede que al lector lo sorprenda, pero lo cierto es que el candidato demócrata que se presentaba como mayor rival de Bush hijo en su intento reeleccionario hasta mediados de 2003, el general Wesley Clark, es también un muy prominente miembro del CFR, desde hace muchos años. A partir de septiembre de 2003 el candidato demócrata que más fondos lleva recaudados es el ex gobernador de Vermont, Howard Dean. Dean se opuso públicamente a la invasión a Irak. Pero está muy en duda de que no se trate más que de una estrategia, dado que existen declaraciones registradas suyas en las que sotiene que Bush no ha ido lo suficientemente a fondo con Arabia Saudita e Irán. Lo cierto es que Dean comenzó a recaudar fondos bien luego de que el 23 de junio de 2003 diera una conferencia en el CFR y preparara luego un *paper* con miembros del CFR. Tan sólo un mes más tarde, el ex gobernador de Vermont era casi "mágicamente" tapa de los semanarios *Time, Newsweek* y *US News and World Report* y un "niño mimado" de la prensa, que destaca su oposición a la guerra con Irak, pero poco y nada habla de sus lazos con el CFR ni sus declaraciones acerca de Arabia Saudita e Irán.

Quizás a esta altura el lector se pregunte cómo es esto de que mientras la elite ansía una masificación colectivista de tipo comunista o socialista, al mismo tiempo ha financiado y ayudado a generar regímenes totalitarios absolutamente opuestos como el Tercer Reich de Hitler. Vale la pena recordar que la mejor forma de controlar un gran conflicto a nivel global es, precisamente, generar opuestos tan antagónicos como el nazismo y el socialismo rojo. Además, de cada uno de esos regímenes a la elite le apetece algo. En el caso de la extrema derecha, la organización verticalista, promoviendo un sistema casi de castas sociales, con los medios de producción en manos privadas. Del socialismo rojo, a la elite no le desagrada en modo alguno la forma y el grado de masificación de las poblaciones, que las convierte en muy susceptibles de controlar. En otras palabras, se acerca bastante a lo que George Orwell, en su novela *1984*, presagiaba como "colectivismo oligárquico".

¿Cuál puede ser el interés de dedicar tiempo a esta organización por parte de intelectuales, empresarios, políticos, economistas, etc.? Pertenecer a un reducido núcleo de 2.400 estadounidenses organizado por los clanes más ricos y poderosos del mundo da muchas oportunidades de excelentes trabajos, acceso a cargos públicos y conexiones personales de primer nivel. Eso sí, hay que tener en cuenta un punto principal: ningún miembro de la CFR, se trate de uno prominente o de los menos importantes, operará jamás en su ámbito de acción en nombre de la CFR o en nombre de sus integrantes. Lo hará a título personal en su respectiva área de influencia. Cuando el CFR —y, por lo tanto, la elite que lo domina— desee llevar a cabo una determinada política como la invasión al Irak o la adopción de la "doctrina del ataque preventivo", promoverá la creación de reducidos núcleos de unos 10 o 12 integrantes a fin de estudiar un determinado tema y decidir la vía de acción. Dentro de esos grupos (denominados *task-forces*) habrá intelectuales, financistas, empresarios y, por supuesto, senadores y diputados, o miembros del Poder Ejecutivo. A través de estos congresales y funcionarios públicos, el CFR introducirá en el gobierno de Estados Unidos los considerandos, las causas y las medidas más importantes que éste debe tomar. Así pasó luego del 11 de septiembre, cuando el CFR logró crear el Homeland Security Department a través de un *paper* de uno de sus "grupos de trabajo" intitulado "America still unprepared, America still in danger". Y así pasó también con la invasión a Irak. Cuando la misma recién estaba comenzando, el CFR ya tenía listo un informe final acerca de qué es lo que debían hacer Estados Unidos e Inglaterra en Bagdad a partir de la caída de Saddam Hussein. Y ello por citar sólo dos ejemplos aislados.

Son o han sido miembros del CFR Alan Greenspan (uno de los directores del CFR hasta que llegó al FED), Bush, Clinton, Carter, Nixon, los hermanos Dulles, manos derecha e izquierda de Eisenhower, prácticamente todos los directores de la CIA, una gran cantidad de senadores y diputados de los partidos Republicano y Demócrata, Henry Kissinger, Brzezinski, Cyrus Vance, los diplomáticos que formaron el mundo de la Guerra Fría (Kennan, Nitze y Averell Harriman), los principales empresarios, Colin Powell, Condoleezza Rice, Richard Cheney, el presidente del Banco Mundial James Wolfensohn, y muchos de los intelectuales más destacados en los medios de comunicación: Jeffrey Sachs, Paul Krugman, Lester Thurow, etc. Por supuesto, no faltan entre sus miembros financistas como George Soros, los Warburg y los principales dueños de los medios de comunicación a escala global. No hay empresa importante en Estados Unidos que no tenga al menos un representante en el CFR. Y no puede ser cualquier representante; debe ser uno de sus propietarios.

A fin de tener una idea del grado de influencia que el CFR posee en las universidades y en la prensa, quizá bastaría con señalar que entre sus miembros se encuentran nada menos que 479 decanos y directivos de universidades o profesores titulares de ellas y 313 dueños o directivos de medios de comunicación. Las universidades y los medios de prensa figuran respectivamente primero y segundo entre los rubros en los que la elite ha buscado miembros del CFR. Quizás ahora pueda quedar más claro por qué descubrimientos como los de John Nash, que comentáramos en el capítulo 1, quedan relativamente encubiertos. Su difusión masiva en medios de prensa y su diseminación en universidades de todo el mundo hubiera hecho mucho más lenta, y quizás imposible, la globalización, que es precisamente lo que la elite y el CFR propugnan.

Veamos, por ejemplo, cuántos miembros del CFR ocupan altos cargos en universidades: 55 miembros de Harvard University, 39 de Columbia University, 30 de Johns Hopkins y Princeton cada una, 26 miembros de Stanford University, 21 del MIT, 20 de Georgetown University, 10 de New York University, 9 de University of Michigan y Cornell University cada una, 7 de University of Southern California y Texas University cada una, y 6 de American University, Boston University, Brown University, City University of New York, George Washington University y Chicago University, cada una. La gran cantidad de profesores y directivos universitarios miembros del CFR le permite a esta entidad lograr varios objetivos: dar un barniz supuestamente científico a muchos de los objetivos geopolíticos, económicos o políticos que se persiguen en vastas zonas del planeta, sembrar ideología de manera subliminal en el alumnado de estas casas de estudios superiores, dado que los alumnos deben tomar como verdadero lo enseñado por los profesores, desviar la investigación científica hacia los fines que sean de utilidad para la elite dominante del CFR, saber de antemano los escollos intelectuales que puedan presentarse a las políticas de socialismo gradual que, bajo la fachada de la globalización, la elite pretende obtener.

Los directorios de estas universidades están generalmente copados por miembros de las petroleras y los bancos estrechamente relacionados con la elite. También por representantes de empresas de armamentos como Northrop Grumman, muy vinculados con los clanes de la elite. Universidades como Yale, Harvard, Columbia, Princeton, New York, Michigan, California, Illinois y Virginia invierten partes sustantivas de sus fondos líquidos en las empresas de armas y en los laboratorios de la elite. Muchas veces, las principales universidades se dividen entre sí las áreas de supuesta investigación geopolítica: mientras en Columbia se encuentra el Instituto Harriman, que publica trabajos sobre Europa Oriental y la ex Unión Soviética, en Harvard se ubica el Centro de Estudios Latinoamericanos David Rockefeller, que suele monopolizar las investigaciones supuestamente científicas respecto de países del Tercer Mundo latinoamericano. Mediante dicho instituto, y su presunta actividad científica, el clan Rockefeller y las familias de la elite obtienen información de primera fuente para realizar inversiones, influir en los gobiernos y moldear los dirigentes latinoamericanos del futuro. Vale la pena recordar la gran cantidad de ministros latinoamericanos muy cuestionados que obtuvieron un título en Harvard...

En el MIT se encuentra el Centro de Estudios del Genoma Humano, que trabaja con el Whitehead Institute, financiado por la Fundación Rockefeller. Una farmacéutica ligada a este *joint venture* tiene como eslogan: *"Give me your money, I will heal your genes"* (Dame tu dinero y curaré tus genes). La elite también se infiltró en el área de recursos marinos, merced al Instituto de Oceanografía del MIT. Las investigaciones en el campo médico están prácticamente monopolizadas por la elite, mediante universidades como la Rockefeller y Cornell (fundadas también por Rockefeller). La Universidad Rockefeller curiosamente venía desarrollando drogas contra el ántrax al momento de los atentados a las Torres Gemelas. Y la compañía Bioport, contratada por el gobierno norteamericano para proveer la vacuna contra el ántrax (Cipro), es propiedad del Carlyle Group.

Algunos centros de tipos de cultivo de agentes biológicos, que venden al por menor fórmulas letales e incluso cepas, trabajan codo a codo con la escuela de medicina de la Johns Hopkins University. Esta última universidad posee uno de los centros de influencia en materia de relaciones internacionales más importantes de Occidente, que funciona como una terminal de difusión del CFR: el Paul Nitze Foreign Institute. En cuanto a la Universidad de Texas, ha sido involucrada en acusaciones por numerosos fraudes y escándalos financieros en los que estaba mezclado el amigo de Bush: Tom Hicks, gran inversor en medios de comunicación en América latina. Los escándalos también alcanzaron a inversiones de la universidad en la petrolera Harken, uno de cuyos principales accionistas, como se recuerda, era nada menos que... Bush hijo.

Hemos citado sólo algunos pocos ejemplos de los muchos que hay acerca de la estrecha relación entre el sistema educativo universitario norteamericano, el CFR y la elite corporativa petrolero-financiera. No deseamos saturar al lector, pero debemos agregar que el control del sistema universitario se acentúa mediante el uso, por parte de la elite, de la antigua red Phi Beta Kappa, que fue fundada en Virginia, Estados Unidos, en 1776, y que funcionó como una sociedad secreta hasta cerca de 1830, cuando las acusaciones contra las sociedades secretas por formar parte de un complot para tomar el poder mundial derivaron en la fractura del hasta entonces Partido Democrático Republicano en Estados Unidos. Esto provocó la "salida a la luz" de esta organización secreta y muchas otras, las cuales, según varios autores, trabajaban de forma mancomunada. Phi Beta Kappa supuestamente toma del alumnado de las principales universidades al 10% de los mejores estudiantes, según sus estatutos. Sin embargo, dado que de la misma han formado parte muy mediocres estudiantes como los Bush, entre otros, se estima que privilegia cuestiones raciales a la hora de reclutar gente. Nadie puede llenar una solicitud libremente para ingresar a Phi Beta Kappa. Debe ser llamado por los jefes de dicha organización. Una vez dentro de la misma, tiene la vía de acceso liberada para ocupar altos cargos en empresas, universidades, medios de comunicación, partidos políticos y puestos de poder en el Congreso y el Poder Judicial. Para tener una idea de la vastedad de esta organización, antes clandestina y ahora de muy *low profile*, y del grado de ayuda que puede brindarle al CFR, basta con decir que hasta el año 2000 poseía cerca de cien sucursales en casas de estudios superiores norteamericanas. Con el advenimiento de Bush hijo, las sucursales (denominadas *chapters* y generalmente bautizadas con letras griegas) se duplicaron a más de 200, en sólo un año.

No menos estratégicos que la educación resultan los medios de comunicación masivos, que sirven a los fines de seleccionar las noticias que conviene diseminar, censurar las inconvenientes para el proceso de globalización, masificar el gusto de las gentes, desviar la atención pública de temas que pudieran resultar inconvenientes a la elite y, en sus variantes no informativas, destruir mediante la manipulación de los medios valores como la familia a los fines de recortar las tasas de natalidad y crecimiento demográfico que ponen en jaque el dominio del mundo por parte de la elite, debido a varios factores: escasez de combustibles fósiles, baja proporción de la raza anglosajona en el total de población mundial, etc. De esta manera, *American Spectator*, *Forbes*, *Fortune*, *Foreign Affairs*, *Harpers*, *National Geographic*, *National Review*, *New Republic*, *The New Yorker*, *Newsday*, *Newsweek*, *Reader's Digest*, *Rolling Stone*, *Slate*, *Scientific America*, *Time Warner*, *Time*, *US News*, *Vanity Fair*, *Washington Post Magazine*, *World Policy Journal*, entre otras revistas, tienen miembros en el CFR. En cuanto a los diarios, vale la pena mencionar que el *Boston Globe*, *Business Week*, *Christian Science Monitor*, *Dallas Morning News*, *Los Angeles Times*, *New York Post*, *New York Times*, *San Francisco Chronicle*, *Times Mirror*, *USA Today*, *Wall Street Journal* y *Washington Post* tienen representantes en el CFR.

En cuanto a las cadenas televisivas, es necesario citar que ABC tiene 12 miembros en el CFR, CBS tiene 10, NBC posee 8, CNN cuenta con 7 y PBS tiene 6. Pero las cadenas televisivas no sólo están representadas en el CFR de manera de poder recibir una adecuada influencia para saber qué noticias trasmitir y cuáles no, y hasta incluso qué tipos de comedias o de humor se debe surtir a la población. También están cartelizadas en su propiedad. Por ejemplo, NBC es una subsidiaria de RCA, un conglomerado de medios de comunicación. Entre los directores de la NBC figuran varios directivos de otras compañías controladas por los Rockefeller, los Rothschild y los Morgan. Un artículo de Eustace Mullins, "Who run the TV networks?", nos muestra cómo la cadena televisiva ABC tiene entre sus directores prominentes miembros de JP Morgan, Metropolitan Life (propiedad del

Morgan) y Morgan Guaranty Trust. Los demás directores son directivos de otras compañías de los clanes Rothschild y Rockefeller. En cuanto a la CBS, fue durante muchos años manejada por los socios de Brown Brothers Harriman (principal banco de la familia Harriman). Tiene entre sus directores a miembros conspicuos del directorio de los bancos Chase Manhattan y Kuhn Loeb, manejados por los clanes Rockefeller y Rothschild. Nada menos que Prescott Bush fue durante muchos años director de la CBS y hasta ayudó a juntar los fondos para comprar la compañía.

En cuanto a la CNN, ha perdido toda independencia desde que fue absorbida en una primera etapa por Time Warner y, en una segunda, por America On Line (AOL), empresas con prominentes miembros en el CFR y controladas por los mismos grupos de poder de las demás cadenas de televisión. ¿No era que las grandes cadenas de televisión estadounidenses eran independientes y competían entre sí? La noción de independencia es equivocada, y la de competencia, muy relativa. Los medios de comunicación propiedad de los clanes de la elite pueden competir entre sí sólo a nivel operativo, pero el "nivel táctico" les viene dado "desde arriba". La estrategia no la conocerán nunca... ni sus propios principales directivos.

Para completar el vasto control en medios masivos de comunicación bastará decir que por lo menos las tres principales agencias de noticias del mundo están en directo control de los clanes Rothschild y Rockefeller. Reuters tiene un accionista principal desde fines del siglo XIX: el clan Rothschild. En aquella época, los Rothschild también poseían la propiedad de las agencias de noticias alemana (Wolff) y francesa (Havas), encargadas de distribuir las noticias en los diarios de los tres países, en los tres idiomas. Debe mencionarse que el odio exacerbado (¿inducido por los medios?) entre las tres naciones, hacia el cual los medios de comunicación de los respectivos países no eran indiferentes, derivó, hace noventa años, en la sangrienta Primera Guerra Mundial. La segunda agencia de noticias actualmente más importante del mundo, Associated Press (AP), fue adquirida por la familia Rothschild a través de Reuters en 1924. Y como ya señaláramos, United Press International (UPI) es propiedad de la misteriosa secta Moon[3], que propugna una religión global, a la que se acusa de lavado de dinero, y por la cual George Bush padre ha hecho frecuentes contactos y viajes por todo el mundo en los años '90.

A los negocios estratégicos de combustibles, bancos y finanzas, laboratorios y armamentos hay que sumar entonces dos, en los cuales la elite tiene peso decisivo propio: educación y medios masivos de comunicación. Sin el control efectivo de estas dos áreas, la elite vería comprometidos su poder y su riqueza porque carecería de los intelectuales universitarios suficientes para diagramar y llevar a cabo sus políticas, y correría el riesgo de que el público recibiera en forma masiva información fidedigna acerca del grado de concentración que la riqueza y el poder hoy tienen en el mundo, y que han convertido al capitalismo en una especie de corporativismo vertical y elitista, y a la democracia en un espejismo en el cual sólo pueden creer los desinformados.

Quien dude de esto no tiene más que investigar lo suficiente en la red acerca del grado de monopolización que han adquirido los medios de comunicación masivos. El sitio alternativo de la web The Nation bautiza como "los 10 grandes" a los diez megamedios que prácticamente controlan todo lo relativo a la comunicación. Vale la pena nombrarlos: AOL Time Warner, AT&T, General Electric, News Corporation (Murdoch), Viacom, Bertelsmann, Walt Disney Company, Vivendi Universal, Liberty Media Corp. y Sony. No existe medio importante de comunicación que escape a la directa influencia de algunos de estos diez megamedios. Sin embargo, aun los medios supuestamente independientes, como The Nation, directo acusador de esta concentración, reciben financiamiento de fundaciones relacionadas con el CFR. Más específicamente, la Fundación Ford, asociada en forma directa al CFR y Skull & Bones, y con lazos tanto con la CIA como con el Carlyle Group, sería la encargada, junto con George Soros, la Fundación Rockefeller y el Carnegie Endowment for International Peace, de

---

[3] Su nombre real es el sugestivo "Iglesia de la Unificación". Véase "La Secta Moon y el Dragón Oriental", Humberto Logos Schuffeneger, CESOC (1997).

financiar a la supuesta prensa "alternativa" o "de izquierda" (ver *www.questionsquestions.net/gate keepers.html*).

No hay que olvidar que es funcional al CFR controlar los dos bandos de cada conflicto. Es la única forma de controlar el conflicto. De esta manera, poseyendo los medios de comunicación "oficiales", e influenciando a una vasta gama de la supuesta prensa "alternativa" o "de izquierda", también se controla el grado de oposición que las políticas oficiales ensayadas por el CFR, o por los *think-tanks* satélites de esa entidad, van a encontrar en el mundo.

Si tenemos en cuenta lo mencionado acerca de la propiedad de los medios de prensa y de su financiamiento, podemos entender bastante más algunas curiosas asociaciones entre empresarios de medios de comunicación supuestamente de derecha e izquierda producidas en los últimos años en muchos países.

Bilderberg y la Comisión Trilateral

Hacia mediados de los años '50, la elite empresarial anglonorteamericana comenzó a observar que en Europa disminuían los peores efectos de la Segunda Guerra. Varios países europeos comenzaban a enriquecerse y, si bien no podían disputar el liderazgo de Estados Unidos, sí al menos podían ejercer un cierto grado de influencia en el resto del mundo. Más aún, muchos países de Europa continental comenzaban a asociarse en lo que a la postre resultaría la Unión Europea.

A fin de no perder el férreo control global ejercido por el CFR, se encomendó al príncipe Bernardo de Holanda, ex colaborador del régimen de Hitler y nazi convencido, de formar un foro de discusión europeo-norteamericano en el que estén presentes los más importantes empresarios, aristócratas y políticos de toda Europa. A este grupo se lo denominó Bilderberg, en recordatorio del hotel holandés donde se realizó la primera reunión. A diferencia del CFR, el grupo Bilderberg no elabora políticas de acción directa. Los anglo-norteamericanos no lo permitirían. Su objetivo es simplemente discutir las cuestiones de máxima actualidad, de manera tal que la elite anglo-norteamericana pueda tener una idea de quiénes pueden resultar más o menos "amigos" en Europa. El total secreto con el cual suele reunirse el grupo Bilderberg llevó a varios a pensar que era un ámbito de poder superior al CFR. No es así.

Hacia 1970, una nueva potencia económica parecía surgir en el mundo: Japón. El grado de control que el CFR ejercía sobre su ex enemigo era considerado por la elite como demasiado bajo. Por eso David Rockefeller creó y presidió la denominada Comisión Trilateral, foro de discusión similar a Bilderberg, llamado así por incluir miembros de Estados Unidos, Europa y Japón. La Comisión Trilateral se fundó en 1973, poco después del estallido del escándalo Watergate en Estados Unidos. Hay quienes especulan —no sin razón— que el escándalo de Watergate, la fundación de la Comisión Trilateral y la expulsión de Nixon del poder están íntimamente conectados entre sí. No les falta razón, dado que Nixon estaba encarando desde 1970 varias medidas que entraban en directa colisión con la idea de la globalización. Entre ellas, es necesario citar el fin del esquema de paridades fijas de la moneda con el oro y la adopción de barreras aduaneras en Estados Unidos, cosa que había puesto muy nerviosos a Japón y a varios países de Asia. El CFR se disgustó con Nixon, quien había accedido al poder merced a sus excelentes contactos con la industria petrolera. Es de esta forma que el caso Watergate muy probablemente no sea lo que la gente cree que fue. Sobre todo, si se tiene en cuenta que su descubrimiento lo realizó el ex agente de inteligencia naval Bob Woodward, convertido por obra y gracia súbita de espía a periodista del *Washington Post*. (Con seguridad, no es el único caso de "transformismo periodístico".)

El posterior acceso de Jimmy Carter a la presidencia norteamericana en 1976 debe interpretarse como una especie de "golpe de Estado" tácito interno en Estados Unidos. El CFR no podía dejar que otro Nixon accediera al poder. Hasta hacía poco tiempo, Carter era un oscuro personaje sin poder alguno en Estados Unidos más allá de Georgia. Fue seleccionado especialmente por David Rockefeller para, una vez en el poder, llenar una gran cantidad de cargos con miembros del CFR. Hasta poco tiempo antes de las elecciones,

Jimmy Carter era un personaje desconocido por la población norteamericana. Poseía sólo el 4% de la intención de votos. Rockefeller y Brzezinski repararon en él porque, siendo gobernador de Georgia, había abierto oficinas comerciales en Bruselas y Tokio. Rockefeller lo invitó a cenar y conversar varias veces. Luego de estar convencido acerca de la aptitud de Carter para acelerar el desarrollo de la "agenda global", financió su escalada a la presidencia y le "levantó el pulgar" en medios de comunicación, universidades, etc. La "agenda global" de la Comisión Trilateral no se diferencia de la del CFR. Consta de tres postulados básicos:

1. Establecer un único gobierno mundial, con poder global, a cargo de los dueños y principales directivos de las megacorporaciones.
2. Eliminar, en el largo plazo, las fronteras nacionales.
3. Incrementar el dominio de las Naciones Unidas.

Los posteriores gobiernos de Bush y Clinton no hicieron más que acentuar esta tendencia. Vale la pena mencionar que, durante la era Nixon (quien también accedió a su cargo gracias al CFR), la administración norteamericana contaba con 115 miembros del CFR en puestos de poder. Durante la era Carter esa cifra se incrementó a 284 miembros. En la época de Reagan, apenas descendió a 257 miembros. Cuando Bush padre fue presidente, prácticamente instaló al CFR en el gobierno, nombrando 382 miembros de ese organismo en puestos clave de poder. Finalmente, Bill Clinton tuvo 17 de los 19 puestos ministeriales ocupados por miembros del CFR y la Comisión Trilateral.

El Rol de los Intelectuales

Cuando a David Rockefeller se le pregunta cómo le surgió la idea de crear la Comisión Trilateral, usualmente contesta que se le ocurrió leyendo el libro de Zbigniew Brzezinski *Between two ages*. Brzezinski es un prominente miembro del CFR, y probablemente la relación de causalidad haya sido precisamente al revés.

O sea, Brzezinski habría escrito el libro a pedido de Rockefeller, a fin de que existiera un justificativo intelectual para generar la Comisión Trilateral. En *Between two ages*, Brzezinski predice el monopolio del poder absoluto por parte de Estados Unidos y simultáneamente pinta un panorama "rosa" del marxismo. Llega a decir que el estalinismo puede haber resultado una tragedia no sólo para el pueblo ruso sino también para el ideal del comunismo. Citaremos al respecto tres frases textuales de Brzezinski: "El marxismo es simultáneamente una victoria del hombre externo y activo sobre el hombre recluido y pasivo, y es a la vez una victoria de la razón sobre las creencias", "El marxismo diseminado a nivel popular bajo la forma de comunismo representó un gran avance en la habilidad del hombre para conceptualizar su relación con el mundo", y "El marxismo ofrecía la mejor perspectiva de pensamiento disponible a la realidad contemporánea". Brzezinski, oriundo de Europa Oriental e imbuido de ideas colectivistas, influyó de manera determinante sobre David Rockefeller, quien opera como la cabeza visible de la elite. ¿Alguien puede dudar acerca de los deseos colectivistas de ésta? Obviamente, en el mundo contemporáneo, marxismo es muy mala palabra. No lo era tan así en los años '70, cuando era necesario aplacar ideas socialistas en vastas regiones del Tercer Mundo, en las que movimientos populares deseaban confiscar medios de producción que eran propiedad directa o indirecta de la elite. En esa época, estas frases de Brzezinski resultaban funcionales a los fines de mostrar un supuesto gobierno menos imperialista, con Carter y los demócratas a la cabeza. En los '70, años de grandes convulsiones en Estados Unidos, también era necesario buscar fórmulas conciliatorias con la Unión Soviética y Europa del Este.

Obviamente, hoy en día, los postulados de Brzezinski en *Between two ages* resultan poco menos que un insulto a la propaganda globalista que esconde el colectivismo tras la fachada de un supuesto capitalismo de libre mercado. Quizá sea por ello que *Between two ages*, a pesar de haber sido un *best seller* a inicios de los años '70, hoy no se consiga ni nuevo ni usado. Existen formas de censura mucho más sutiles que las "listas negras". Muchas veces con libros que antes resultaron funcionales a los deseos de la elite pero comienzan a ser contraproducentes para continuar la agenda de la misma, sucede lo que en *Fahrenheit 451*: los libros desaparecen, pero no bajo las llamas de los lanzafuegos, como en la obra de Bradbury, sino simplemente bajo una silenciosa y llamativa "extinción". Los libros han sido durante décadas un medio de comunicación mucho más variado y heterogéneo que los periódicos, las revistas y los canales de radio, televisión y cable. La política del CFR en materia comunicacional parece apuntar sobre todo a las grandes cadenas televisivas en cuestiones informativas, a fin de homogeneizar las noticias que llegan a la población y poder suprimir más fácilmente datos o informaciones "molestas" para la agenda global.

Pero volviendo a Brzezinski, nunca fue ni es un personaje más. A sugerencia de Rockefeller, ocupó el centro de la escena durante la administración Carter, así como Kissinger lo había hecho en la era Nixon. Quien lea atentamente *Between two ages* puede observar que la globalización está ahí prenunciada. Este tipo de predicciones, sin fundamentos científicos serios, pero a la postre cumplidas en la realidad, es una costumbre del CFR, que suele valerse de intelectuales a fin de justificar las políticas de antemano diseñadas que, de esta manera, gozan de un "barniz" intelectual y científico.

Podemos citar también los casos de Francis Fukuyama y Samuel Huntington. En su obra *El fin de la historia y el último hombre*, durante la presidencia de Bush padre, Fukuyama predice también acabadamente lo que sucedería en la década del 90[4]. O sea, el auge del capitalismo corporativo y de lo que se conoce

---

[4] Con bastante miopía y superficialidad intelectual, muchos de los que "analizan la realidad" en medios de comunicación suelen decir que Fukuyama se equivocó al predecir el "fin de la historia" debido a las frecuentes guerras y conflictos existentes desde los años noventa. En tales opiniones, obviamente poco y nada de lo aquí explicado se tiene en cuenta. Tampoco es considerado que, desde que EE.UU. es única potencia mundial, las guerras tienen resultado seguro desde antes de iniciarse. "El fin de la historia" no significa que no haya sucesos críticos, sino la profecía de un período larguísimo de capitalismo de libre empresa y "democracia" en el mundo, con Estados nacionales disminuidos en su poderío. En otras palabras: la globalización.

como democracia prácticamente en todo el mundo, el fin de los grandes liderazgos políticos personalistas (muy del paladar del CFR), y el final de toda dialéctica histórica merced a la globalización. El gran problema para todos nosotros es que Fukuyama predice que esto durará varios siglos (obviamente, lo que pretende el CFR). No debe extrañar que Fukuyama haya formado entonces parte de otro *think-tank* satélite del CFR denominado "Project for the New American Century" (PNAC), junto a varios "peces gordos" del Pentágono y del aparato industrial militar norteamericano, quienes venían planeando la invasión a Irak por lo menos desde 1997.

¿Por qué el CFR genera este tipo de *think-tanks* a la hora de decidir políticas de acción como la invasión a Irak? ¿Por qué estas políticas no las diseña el CFR por sí mismo? En buena medida lo hace. Pero el "trabajo sucio" nunca saldrá publicado con el membrete propio del CFR. Si algo sale mal, es mejor "quemar" al PNAC o a cualquier otro *think-tank* en cuestión, que al propio centro de poder.

Volviendo a los principales intelectuales colaboracionistas (en el sentido bélico del tema) con la CFR, otro de los *top* ha sido Samuel Huntington. Cuando las Torres Gemelas cayeron, el lector ávido de informarse acerca de los conflictos con el pueblo árabe podía adquirir en cualquier librería un libro ya publicado de antemano: *El choque de civilizaciones*. En dicha obra, escrita en 1997, Huntington predice el conflicto con los árabes, aunque llamativamente apenas menciona el tema petróleo. Sin embargo, nos revela otra de las causas por las cuales Saddam Hussein debía ser removido. Huntington cree que lo que hace débil a la civilización musulmana es la falta de una metrópoli donde se concentre el poder. Las peleas internas, las luchas intestinas de la civilización árabe son, para Huntington, causa de su debilidad. Hussein, por su carácter laico y por la singular situación petrolera en Medio Oriente, podía llegar a haber constituido a Bagdad en el virtual centro metropolitano de la civilización árabe, sobre todo si se tiene en cuenta que en Irak se da la singular confluencia del sunnismo y el chiísmo, o sea, de las dos vertientes religiosas musulmanas. El gran problema es que Huntington, conspicuo miembro del CFR, no se detiene en este punto sino que nos predice muchos años antes la posibilidad de un conflicto bélico entre Estados Unidos y China hacia el 2010. Si Huntington tiene razón, no debe sorprendernos que Alan Greenspan no haga nada para reducir el abultado déficit de balance de pagos de Estados Unidos, concentrado especialmente en China, Japón y el sudeste del Asia. No son los vencedores de las guerras quienes pagan las deudas, sino los vencidos...

El máximo problema que nos ofrece el encuadre de Huntington es que pone las luchas y las guerras en términos de civilizaciones, como si hubiera razas o pueblos superiores intrínsecamente a otros. Este espíritu darwiniano-malthusiano del "intelectual" del CFR debe ser tomado como un emergente del pensamiento dominante en ese núcleo de poder mundial y dentro de la propia elite globalista, lo que obviamente es una pésima noticia. Dentro del mundo intelectual anglosajón es mucho más común de lo que parece esta forma de poner los problemas humanos en términos darwiniano-malthusianos, lo que le quita cualquier dosis de sentimentalismo a la posible desaparición de civilizaciones enteras porque se lo considera un fenómeno natural, propio de la evolución, aunque Darwin jamás intentó extender su teoría de corte biológico a otras disciplinas. Los "intelectuales" del CFR lo han hecho por él.

Por eso no debe llamarnos la atención la aparición de obras como, por ejemplo, *Darwinizing culture. The status of memetics as a science*, publicado nada menos que por la Oxford University Press, no precisamente una editorial más. El término "memetics" (no tiene aún traducción al castellano pero bien se podría llamar "memética") probablemente nunca haya sido escuchado hasta ahora por el lector. Sin embargo, lo invitamos cordialmente a realizar una simple comparación: si tipiamos la palabra "cáncer" en un buscador como Altavista, encontraremos que hay 6, 5 millones de sitios de la *web* con menciones del término, en cualquiera de sus varias acepciones. Si tipiamos la palabra "meme", podremos observar con sorpresa que aparecen nada menos que 5, 6 millones de sitios de la web que hablan de los "memes" y la "memética" (si es que podemos traducir al español estos términos). Si esta curiosidad le provoca una sonrisa al lector, es muy probable que rápidamente se le borre de la boca. Un "meme" sería, para un enorme número de supuestos científicos de origen anglosajón, una especie de unidad de información que llega a nuestro cerebro a través de los sentidos (la lectura, la conversación, etc.). En el libro *Virus of the mind*, el autor Richard Brodie populariza una corriente que está ganando auge en medios universitarios anglosajones: la idea de que hay "memes" tóxicos, o sea, informaciones intoxicantes.

Aunque la "memética" es una disciplina sin rigor científico y sin basamento serio alguno, hay una buena cantidad de millones de dólares invertidos en el tema. Todavía no existen aplicaciones prácticas de qué es lo que se puede lograr con todo el difuso palabrerío que los partidarios de la "memética" establecen en los más de 5 millones de sitios de la *web*, en la muy profusa cantidad de libros, en inglés casi exclusivamente, publicados al respecto. Pero es muy sencillo deducir que, si se comienza por pensar (como hacen los seguidores de la "memética") que hay ideas que son virus, entonces no sólo la autocensura a la hora de informarse, sino también la propia censura estatuida en forma oficial a través del Estado tendría sentido de ser. Mucho más preocupante todavía es si se entremezcla este engendro de la "memética" con el darwinismo cultural, como ya se está haciendo nada menos que en Oxford.

Esta manipulación de los intelectuales y de la ciencia por parte de la elite anglo-norteamericana y del CFR no se reduce a la economía (como advertimos en el primer capítulo), a la historia y la geopolítica (como hemos visto con Brzezinski, Fukuyama y Huntington), sino que invade prácticamente todas las áreas de la ciencia. En la biología moderna, por ejemplo, existe un controvertido debate denominado "Dawkins vs. Gould", los dos biólogos más "importantes" de la actualidad. Mientras Gould cree que en la evolución existe un alto componente de azar, lo que daría pie a pensar que no sólo las mejores especies ni las más aptas a veces son las que sobreviven, Dawkins piensa que hay "paquetes" genéticos intrínsecamente superiores a otros, de manera tal que no existe azar alguno en la evolución. Este último concepto genera un soporte, un basa-

163

mento presuntamente científico para aplicar cualquier tipo de racismo, y es funcional a la aplicación del darwinismo y del malthusianismo en cualquier área social.

Cuando señalamos a la infiltración de estos grupos de poder en importantes grupos de intelectuales, no sólo nos referimos a pensadores, politólogos, economistas y científicos. Probablemente uno de los primeros grupos en ser infiltrados fue el de los literatos y escritores. Frente al proyecto globalista del "nuevo orden mundial" los escritores que accedieron a información tuvieron posturas a favor y en contra. Aldous Huxley, H. G. Wells, G. Bernard Shaw, George Orwell, entre muchos otros, se refirieron en forma simbólica y alegórica en muchos de sus escritos al proyecto de la elite, el que, sin embargo, temían revelar abiertamente. El primero de ellos, autor de *Un mundo feliz*, muerto el mismo día que John Kennedy, el 22 de noviembre de 1963 en Inglaterra e inmediatamente cremado, hablaba de un mundo dividido en castas sociales y era nieto de uno de los fundadores del "Roundtable Group" de Cecil Rhodes. Huxley colaboró durante toda su vida con uno de los mayores historiadores del siglo XX: Arnold Toynbee, autor de la obra en veinte volúmenes *Historia de la Civilización Occidental*. Toynbee, miembro de la sociedad hermana del CFR, el RIIA, es un continuista de la historia, pensaba que toda civilización en la historia había comenzado un inexorable declive muy poco después de haber alcanzado su máximo esplendor, y poco después de haber estado a punto de alcanzar una fase "global". La elite anglonorteamericana, verdadera conocedora de este concepto de Toynbee, estaría buscando lo mismo que Roma, Napoleón, el Egipto antiguo y la corona británica habrían intentado lograr, para luego fracasar. La diferencia, ahora, sería que, con el actual desarrollo de la ciencia y la tecnología, el mundo es más "pequeño", y la posibilidad de globalizarlo en un esquema petrificado y sin cambios, en lo posible perpetuo, es para la elite no sólo posible sino también mucho más probable y deseable.

Para ello no se escatiman esfuerzos. Vale citar, a la manera de mero ejemplo, que cuando en la era Reagan-Bush la elite se propuso como meta de corto plazo el desmembramiento de la Unión Soviética no se ahorraron iniciativas intelectuales por medio de las cuales la administración estadounidense llegó a contratar los servicios de escritores de ciencia ficción para que, en sesiones a puertas cerradas con militares, politólogos, demás científicos y agentes de inteligencia, se pudieran desarrollar largos *brainstormings* más fructíferos, con escenarios más creativos e imaginativos para llegar al objetivo deseado.

Dejando a un lado la historia y yendo a la subrepticia introducción de la ideología en la ciencia y en los supuestos grupos de "intelectuales" financiados a manos llenas por la elite anglo-norteamericana, no podemos dejar de mencionar, entre otras cosas, la generación, producción y almacenamiento de virus (no precisamente de la mente), bacterias y protozoarios mortales para la vida humana. En el capítulo 3, al mencionar los ataques del 11 de septiembre (y en las primeras páginas de éste), hemos ya citado la presunta culpabilidad de un científico de la administración Bush en los envíos de ántrax. Por cuestiones de longitud y de vastedad del tema, no discutiremos aquí el controversial debate existente en el mundo científico acerca de que enfermedades como el sida y el SARS habrían sido generadas artificialmente, en laboratorios, con el fin no sólo de generar ganancias, sino también de ir aplicando soluciones malthusianas a los supuestos problemas de sobrepoblación mundial. Sólo mencionaremos que el ántrax, por ejemplo, había desaparecido prácticamente por completo de la faz de la Tierra en la Edad Media, cuando se lo llamaba carbunclo. Y es muy natural que así haya sido, dado que debe suponerse que, con el progreso científico (si es genuino), deberían poder erradicarse enfermedades, reduciéndose la cantidad de las mismas, en vez de generarse nuevas. El problema es que, si no se regula adecuadamente a la industria farmacéutica, ésta intentará simplemente aumentar sus ganancias, cosa que no sería posible con una población mundial en buen estado de salud. No debe sorprender al lector que la industria farmacéutica esté tan estrechamente ligada a la industria petrolera como lo está la elite financiera anglo-norteamericana.

Finalmente mencionaremos que, en el colmo de esta rapacidad, mientras realizábamos la investigación para escribir este libro, encontramos en la *web* sitios que venden el código genético de una vasta cantidad de virus, bacterias y protozoarios con pago contra tarjeta de crédito. De paso, ¿cómo era aquella cuestión de las armas biológicas de Saddam Hussein?

El Nuevo Orden Mundial

Cuando Fukuyama, durante la presidencia de Bush padre, hablaba del final de la historia, en realidad se refería a un estadio del capitalismo, que deseaba como permanente, por medio del cual las corporaciones ejercerían realmente el poder en la Tierra y los Estados nacionales quedarían reducidos a simples carcasas, referencias semivacías de contenido. En un mundo de esas características, existirían simplemente dos clases sociales: la que controla y dirige las corporaciones y la que trabaja para ellas. La agenda antes comentada acerca de los fines de la Comisión Trilateral es una expresión de ésta.

En un libro de reciente aparición, *El poder en la sombra. Las grandes corporaciones y la usurpación de la democracia*, Noreena Herz nos advierte acerca del alarmante avance de este proceso en el mundo. Cita, por ejemplo, que de las cien mayores economías del mundo sólo 49 son Estados-nación mientras que 51 son empresas. Cuando Bush padre hablaba frecuentemente acerca de que la humanidad se estaba aproximando a un "nuevo orden mundial", sabía perfectamente a lo que se refería. Cuando Gorbachov, todavía en el poder en la ex Unión Soviética, le contestaba que para que "un nuevo orden mundial fuera posible, Estados Unidos debía previamente ayudar a la URSS", también sabía perfectamente bien de lo que estaba hablando[5]. La inscripción que figura en el billete de un dólar ("Novus Ordo

---

[5] Quien dude que con la expresión "Nuevo Orden Mundial" o "New World Order" se está designando algo que va mucho más allá de la pura retórica o algo casual, puede consultar *Evolving New World Order-Disorder* de Rocco Paone (University Press of America, 2001) o *Genocide: Russia and the New World Order* de Sergei Glazyev (EIR News Service, 1999). Rocco Paone ha ocupado varios puestos como asesor del Pentágono y del gobierno de Lyndon Johnson, y Glazyev ha sido ministro de Relaciones Económicas Internacionales de Boris Yeltsin.

Seclorum": Nuevo Orden de los Siglos), introducida a pedido de Franklin Delano Roosevelt (primo lejano de los Bush), no sería sólo un capricho de un presidente ni algo casual[6]. El CFR estaría llevando a cabo una agenda predeterminada, en cuya precisa antigüedad los autores no se ponen de acuerdo. Que buena parte de la historia en realidad esté muy influida de antemano, puede sorprender al lector. Pero, si se lo piensa bien, no tiene nada de raro que los clanes más poderosos de la Tierra se hayan puesto como meta el dominio y control del mundo entero. Después de todo, lo que representan a pequeña escala en la clase media de cualquier país los deseos de que las nuevas generaciones superen a las anteriores, a gran escala, en la muy reducida elite que controla el petróleo, la banca, las armas, los laboratorios, los megamedios de comunicación y las principales universidades en Inglaterra y Estados Unidos, lo representa, como es natural, el dominio del mundo. Si se razona por esta línea, se verá que el aporte de cada generación de esta elite al proyecto —y, por lo tanto, los logros personales de cada uno de sus miembros— puede observarse en la medida en que cada uno contribuye a esa ambición de dominio global que los fundadores, patriarcas de unos pocos clanes, se han establecido como meta de larguísimo plazo para sus descendientes.

Cuando los autores posmodernos, por ejemplo, Jean Baudrillard, escriben obras como *The Gulf War did not take place*, lo que están diciendo no es que no suceda lo que estamos viendo en los medios de comunicación, en la TV, sino que los sucesos, en realidad, significan otra cosa de lo que, a través de los medios masivos de comunicación, se nos pretende inducir a pensar. Obviamente, para que ello sea posible es necesario generar organismos y entidades que ejerzan un control global. La CIA, el FBI y hasta las Naciones Unidas adquieren, entonces, una dimensión diferente de lo que a primera vista puede parecer. En su estudio nos sumergiremos ahora.

---

[6] La pirámide con el "ojo que todo lo mira" tampoco es un símbolo al azar. Es extraño que pocos se pregunten qué hace un símbolo esotérico en el reverso del billete de un dólar.

BIBLIOGRAFÍA

LIBROS:

GAYLON ROSS, Robert: *Who's who of the elite. Members of the: Bilderbergs Council on Foreign Relations & Trilateral Commission*. RIE, 1995.

SALBUCHI, Adrián: *El cerebro del mundo. La cara oculta de la globalización*. Ediciones del Copista, 1996.

SKLAR, Holly: *Trilateralism. The Trilateral Commission and elite planning for world management*. South End Press, 1980.

ALLEN, Gary: *Say 'No!' to the New World Order*. Concord Press, 1987.

SUTTON, Antony; WOOD, Patrick: *Trilaterals over Washigton*. The August Corporation, 1978.

PERLOFF, James: *The shadows of power. The Council on Foreign Relations and the American decline*. Western Islands Publishers, 1988.

KAH, Gary: *En route to global occupation. A high ranking government liaison exposes the secret agenda for world unification*. Huntington House Publishers, 1992.

STILL, William: *New World Order: the ancient plan of secret societies*. Huntington House Publishers, 1990.

COLEMAN, John: *Diplomacy by deception. An account of the treasonous conduct by the governments of Britain and the United States*. Bridger House Publishers, 1993.

KAH, Gary: *The new world religion. The spiritual roots of global government*. Hope International Publishing, 1998.

PILGER, John: *The new rulers of the world*. Verso, 2002.

ALLEN, Garry; ABRAHAM, Larry: *None dare call it conspiracy*. Buccaneer Books, 1976.

JONES, Alan: *How the world really works*. ABJ Press, 1996.

CARR, William Guy: *Pawns in the game*. St. George Press, 1967.

BLOOM, Howard: *The Lucifer principle. A scientific expedition into the forces of history*. The Atlantic Monthly Press, 1995.

COOPER, Milton William: *Behold a pale horse*. Light Technology Publishing, 1991.

KING, John: *Chaos in America. Surviving the depression*. Bridger House Publishers, 2002.

CUDDY, Dennis: *The globalists. The power elite exposed*. Hearthstone Publishing, 2001.

AUNGER, Robert: *Darwinizing culture. The status of memetics as a science*. Oxford University Press, 2000.

BAUDRILLARD, Jean: *The Gulf War did not take place*. Indiana University Press, 1995.

BRODIE, Richard: *Virus of the mind. The new science of the meme*. Integral Press, 1996.

BRZEZINSKI, Zbigniew: *Between two ages. America's role in the technetronic era*. The Viking Press, 1971.

FUKUYAMA, Francis: *The end of history and the last man*. Perennial, 1992.

HERZ, Noreena: *El poder en la sombra. Las grandes corporaciones y la usurpación de la democracia*. Grupo Editorial Planeta, 2001.

HUNTINGTON, Samuel: *El choque de civilizaciones y la reconfiguración del Nuevo Orden Mundial*. Editorial Paidós, 1997.

MULLINS, Eustace: *Who run the TV networks?*

INTERNET:

HUCK, Jim: "The truth". *www.angelfire.com/ca3/jphuck/rightframe.html*.

"Trilateral Commission". *www.wealth4freedom.com/truth/14/Trilateralcomm. htm*, 25/08/03.

THORN, Victor: "Who controls the American presidency?". Babel Magazine. *www.babelmagazine.com/issue47/whocontrolstheamericanpresidency.html*, 25/08/03.

6. MECANISMOS DE CONTROL

─────────────────── ◆ ───────────────────

Cuando la hipocresía comienza a ser de muy mala calidad,
es hora de comenzar a decir la verdad.

Bertolt Brecht.

Hemos visto la estructura de poder que la elite banquero-petrolera generó, desde inicios de los años '20, en torno del CFR y de dos de sus organizaciones satélite: el grupo Bilderberg y la Comisión Trilateral. Sin embargo, por más poderosa, rica e influyente que la elite fuera, y por más bien organizados que estuvieran el CFR y sus entidades satélite, habría sido impensable la posibilidad de la idea de crear la globalización sin la existencia simultánea de mecanismos de control en todos los ámbitos de la sociedad, y en todo el mundo.

La elite percibió, entonces, que debía extender su poder desde los centros en los que se apoya: Nueva York, Washington DC y Londres, a las principales ciudades de todo el mundo. Para ello necesitaba, en primer lugar, reduplicar su propia estructura, generando otros *think-tanks* "a imagen y semejanza" del propio CFR, incluso dirigidos por miembros del CFR y de la Comisión Trilateral, a fin de poder infiltrar en forma adecuada las estructuras estatales de poder de terceros países. De esta manera, una gran multiplicidad de organizaciones cuyo supuesto fin es el intercambio y el estímulo a la creación de ideas para desarrollos regionales han sido creadas en el mundo a lo largo del siglo XX. El objetivo real de estos *think-tanks* es, en cambio, bien diferente. La idea básica es tomar contacto con políticos, economistas, periodistas, diputados, senadores y funcionarios públicos de variada gama. El objetivo de establecer esos vínculos sería influir en la toma de decisiones de los respectivos países, y en los medios de prensa, a fin de controlar tanto a los gobiernos como a la opinión pública y hacer, de esta manera, más fácil la agenda de la globalización.

En el caso de Latinoamérica, es la Americas Society la organización encargada por el CFR para presionar por la adopción de medidas que no obstruyan la globalización. En *El cerebro del mundo. La cara oculta de la globalización*, de Adrián Salbuchi, se pueden encontrar, además de mucha información valiosa, listados enteros de miembros permanentes de la Americas Society. Se trata de personas susceptibles de padecer el *lobby* de la elite norteamericana e inocularlo en los gobiernos, partidos políticos, la prensa y organizaciones empresariales. Una mención especial merecen, según la misma obra, los únicos tres latinoamericanos miembros oficiales de la Comisión Trilateral en febrero de 2001. En dicha organización aparecen a esa fecha sólo quince personas que no son estadounidenses, europeos ni japoneses, entre sus cerca de 300 miembros. Pero citemos textualmente a Salbuchi en la página 404 de *El cerebro del mundo*:

"...sólo tres de estos quince son de nuestro continente, el nombrado Cavallo, el brasileño Roberto Egydio Setúbal (presidente ejecutivo del Banco Itaú de Brasil), y el uruguayo Enrique V. Iglesias (presidente del BID). Un cuarto latinoamericano, el mediático escritor ultraliberal y ex candidato presidencial peruano Mario Vargas Llosa, es también miembro de la Trilateral representando a la Real Academia Española, por tener también nacionalidad española".

La reduplicación de estas estructuras, conformadas como consejos consultivos entre empresarios e intelectuales, va incluso más allá, dado que también se generan dentro de los propios países. En el caso argentino, es necesario mencionar al CARI (Consejo Argentino de Relaciones Internacionales).[1] Pero los hay prácticamente en

---

[1] La lista de miembros argentinos del CARI es sorprendente. En las páginas 392/4 de *El cerebro del mundo* figuran los nombres. Entre sus miembros internacionales aparecen George Bush padre, Bill Clinton y Henry Kissinger.

todos los países de la región o asociaciones de países. La utilidad de estas estructuras de poder es, como puede observarse, muy importante para la elite. Por un lado, puede desechar todo tipo de teorías conspirativas con el argumento de que sólo se trata de grupos de personas interesadas en el mejor desarrollo de los países. Por lo tanto, no sólo puede ocultar sus fines de dominio global, sino que también hasta puede ofrecer a la opinión pública desprevenida la idea de objetivos filantrópicos. Lo cierto es que difícilmente el núcleo de personas que conforman la Americas Society y el CARI, entre otras organizaciones, en general estrechamente vinculadas a empresas y partidos políticos, destinen tiempo, esfuerzos y recursos económicos si no hay atrás la posibilidad de ejercer cargos de poder o de beneficiarse económicamente. La adhesión personal a estos *think-tanks* suele ser una especie de "contrato tácito" por el cual los miembros dan parte de su tiempo, sus energías, sus recursos (cuando es el caso de empresas) y hasta sus cerebros a cambio de posibles y probables beneficios económicos, importantes cargos empresariales y posibles y probables puestos políticos.

Pero el control del CFR —y de la elite que lo domina— sobre el mundo, a fin de generar la globalización, no se detiene en reduplicaciones permanentes del propio CFR, sino que abarca otros ámbitos de acción: la seguridad, inteligencia, represión (y hasta la educación) a través de organizaciones semisecretas como la CIA y el FBI; el control político y militar de los países a través de las Naciones Unidas, principalmente, y, finalmente, el control económico y financiero a través del Fondo Monetario Internacional, el Banco Mundial y sus entidades anexas o subsidiarias. Por último, el control global y social se completa mediante la influencia en las masas de los megamedios globalizados de comunicación, entre los que sobresale por varias causas la televisión. Efectuaremos un somero repaso de los mismos.

La CIA y el FBI

La Agencia Central de Inteligencia (CIA) es un organismo que vio la luz a partir de la Overseas Secret Service (OSS) americana, de la Segunda Guerra Mundial. Cuando Estados Unidos decide entrar en guerra contra el Eje, el presidente Roosevelt nombra embajador en Suiza nada menos que a Allen Dulles, prominente abogado de Wall Street de varias firmas, en las que tenían fuertes intereses los clanes Rockefeller y Harriman. La guerra era un tema especialmente espinoso para la elite de negocios anglo-norteamericana, dado que venía colaborando con el régimen de Hitler, como ya hemos visto en capítulos anteriores. Por lo tanto, necesitaba efectuar discretas negociaciones con conspicuos miembros del régimen nazi a fin de que sus intereses económicos no se vieran severamente perjudicados una vez que la guerra hubiera terminado. Dulles era el encargado de establecer esos contactos. Y aunque en realidad era embajador de Estados Unidos, alternaba ese puesto con el de vocero y negociador de los grupos privados económicos norteamericanos con fuertes intereses en Europa y Alemania. Una vez terminada la Segunda Guerra Mundial, Allen Dulles desempeñó tan bien su papel —no se sabe si el de embajador o el de lobbista— que fue nombrado nada menos que presidente del CFR entre 1946 y 1950, luego subdirector de la CIA entre 1950 y 1953, y director de la misma entre 1953 y 1961, cuando el presidente John Kennedy lo echó.

Al revés del FBI, la CIA es frecuentemente presentada en series y películas de espionaje como una organización temible, capaz de realizar horribles crímenes. En realidad, es algo bastante peor. El propio origen de la CIA se encuentra enlodado con los servicios secretos de Hitler. Cuando se comienza a hacer evidente que Alemania se rendiría, el jefe de espionaje de Hitler, general Reinhardt Gehlen, comienza a negociar con el gobierno norteamericano los términos de su rendición. Gehlen —excelente espía— tenía en su poder gran cantidad de documentación incriminatoria contra políticos y empresarios ingleses y norteamericanos. Por lo tanto, junto a un sobredimensionamiento del "peligro soviético" (que la elite no podía desconocer como exagerado) jugó la carta de la posible difusión de esa información a los medios de comunicación. Estados Unidos llegó a un rápido y fructífero acuerdo con Gehlen: el general no sólo quedaba libre, sino que además Estados Unidos contrataba sus servicios y lo utilizaba como práctico monopolista de los servicios de espionaje norteamericanos en Europa Oriental y Rusia. Ello no implicaba que Gehlen tuviera que infringir sus antiguas lealtades con colaboradores directos de Hitler. Todo lo contrario. Si el general juzgaba que en su accionar había una especie de "lucha de lealtades" por tener que espiar tanto para Alemania como para Estados Unidos, podía privilegiar los intereses alemanes. Más aún, Gehlen reportó directamente al sucesor de Hitler, tras su suicidio: el almirante Karl Doenitz. Gehlen y muchos otros nazis empezaron a formar parte de la CIA. Entre otros, habrían sido reclutados Klaus Barbie, Otto von Bolschwing (el cerebro del holocausto, que trabajó codo a codo con Adolf Eichmann) y el coronel de la SS Otto Skorzeny (un gran favorito de Hitler).

El origen *non sancto* de la CIA, basado en un pacto perverso, favoreció que se llevaran a cabo operaciones secretas, no sólo ilegales sino también criminales. Una de las primeras operaciones en las que la CIA se vio envuelta fue el llamado "Project Paperclip", a través del cual la CIA seleccionó a un gran número de científicos, militares y colaboradores nazis de todo tipo para trabajar y vivir en Estados Unidos. Oficialmente, Estados Unidos ha reconocido la existencia de esta operación, pero reduce su área de influencia a proyectos de alcance limitado, como el desarrollo de la NASA por parte de científicos nazis como lo había sido, por ejemplo, Werner von Braun. Esto es lo que Estados Unidos reconoce, pero es sólo la "punta del iceberg". En algunos lugares de EE.UU., como Huntsville (Alabama), habría habido radicaciones masivas de prominentes nazis alemanes tras la caída del III Reich, a los que se suele citar jurando la Constitución norteamericana con el brazo en alto, a la manera nacionalsocialista. Por ejemplo, nombrando sólo uno de los casos de migraciones ilegales y secretas a EE.UU., junto a Von Braun se suele olvidar mencionar que viajó a Estados Unidos el general Walter Dohrenberg, quien dirigía un campo de concentración y exterminio (que sólo figura en libros franceses sobre la guerra) llamado Dora, en el cual se usaba mano de obra esclava para desarrollar los proyectos armamentísticos diseñados por Von Braun. Dohrenberg era un criminal de guerra y no pudo ser juzgado en Nuremberg debido al "vía libre" que le fue otorgado gracias a la CIA. El error se pagaría caro: a los pocos años Dohrenberg estaba mezclado con intereses de la oscura corporación PERMIN-DEX, envuelta en la financiación del crimen de Kennedy. Pero Dohrenberg estaba lejos de ser el único criminal nazi rescatado y enviado sano y salvo a Estados Unidos. Cuando se menciona que la Argentina, Brasil, Paraguay o Bolivia son países que dieron asilo a criminales nazis, generalmente se tiende a encubrir el apoyo que les fue dado por Estados Unidos y la CIA.

Muchos de estos científicos nazis ayudaron a desarrollar en Estados Unidos el llamado "Proyecto MK-Ultra". Bajo dicha operación se llevaron a cabo experimentos de control mental con seres humanos sometiéndolos al influjo de drogas experimentales, radiación, electromagnetismo, etc. Se usaron secretamente presidiarios norteamericanos, y hasta se habrían incluido soldados, según Linda Hunt en su agotada obra *Project Paperclip*. En muchos casos, estos seres humanos convertidos en "conejillos de Indias" murieron. El trágicamente famoso LSD (ácido lisérgico) no sería otra cosa que un subproducto de investigaciones secretas de la CIA de control mental en humanos con el fin de lograr "robots humanos" capaces de ser utilizados en particulares condiciones de hipnotismo en asesinatos y atentados. La CIA habría desechado como herramental para estas operaciones al LSD por considerar que no cumplía los requisitos para inducir a seres humanos a que, en determinadas condiciones, recordaran órdenes olvidadas y pudieran "accionar gatillos" (el crimen de Robert Kennedy habría sido efectuado en estas condiciones). Pero la CIA no perdió oportunidad, según varios autores[2], de sacar provecho de esta droga alucinógena, induciendo su consumo en la juventud norteamericana primero, y luego en el resto del mundo, durante los años '60.

Las operaciones de la CIA no se redujeron a contrabandear nazis a Estados Unidos ni a experimentos secretos con humanos como "conejillos de Indias". Intervino de forma cuasi militar en una vasta gama de países, organizando guerras y revoluciones, las que en muchos casos fueron financiadas con los presupuestos de los Estados nacionales y beneficiaron los intereses de la elite de negocios anglo-norteamericana y de los propios agentes de la

---

[2] Ver en bibliografía *Acid dreams*, de Martin Lee y Bruce Shlain.

CIA. La CIA no sería otra cosa que el "brazo armado" de la elite y el CFR. Es por esa causa que no desaparece una vez extinguidos el régimen soviético y la KGB, cuando desaparece el enemigo. Ya hemos visto en el capítulo 3 cómo, según información recabada, entre otros, por Michel Chossudovsky, el terrorismo islámico no es otra cosa que un subproducto de la CIA en Asia Central.

Una de las primeras operaciones efectuadas por la CIA a nivel país, tras la Segunda Guerra Mundial, fue la denominada "Operación Gladio", en Italia. Ocurre que Italia era terreno fértil para que un gobierno de izquierda, probablemente comunista, surgiera en 1948.[3] Si bien, como hemos visto, a la elite el comunismo no le disgusta, esto es sólo en determinadas condiciones: cuando los empresarios de la elite mantienen en su poder los medios de producción, o cuando sirve para derrocar a regímenes que impiden a la elite "ingresar fuerte" en algunos países (Rusia antes de la revolución bolchevique). Pero en cualquier otra circunstancia, un régimen de izquierda o comunista atenta fácilmente contra los intereses de los empresarios que dirigen el CFR. Por eso resultaba altamente inconveniente que en Italia triunfara la izquierda. La "Operación Gladio", mediante la incesante propaganda acerca de la supuesta peligrosidad de la izquierda en Italia, logró su cometido de impedir el ascenso de ella al poder. Pero no era una cuestión sólo de propaganda. Mediante la "Operación Gladio" se armó a 15.000 hombres en Italia, dispuestos a dar un golpe de Estado en caso de un triunfo en las urnas de la izquierda. El modelo de actividad de la CIA en Italia fue virtualmente copiado en Francia y Alemania. En el primero de esos países los varios atentados que sufrió el presidente Charles de Gaulle fueron atribuidos a la CIA y sus socios. Pero, volviendo a Italia, la actividad de la CIA no se redujo al impedir el ascenso de

---

[3] Que a la elite le apetezca cierta clase de colectivismo no significa que le guste la generación espontánea de socialismos que pondrían en jaque su propiedad en medios de producción. Recuérdese la frase de Henry Kissinger a propósito de Chile y Allende: "No debería dejarse que un país vaya al marxismo sólo porque su gente es irresponsable" (ver *The Trial of Henry Kissinger*, de Christopher Hitchens, Verso, 2001).

la izquierda al poder. Dado que tras la experiencia de Mussolini la población se volcaba filosóficamente más a la izquierda, la CIA decidió mantener a la misma "a raya" generando y financiando ejércitos terroristas de izquierda (Brigadas Rojas) a través de la actividad de la logia masónica Propaganda Due (P-2) a fin de mantener instalado en los medios de comunicación y en la mente de la población la idea de la enorme peligrosidad y violencia potencial que significaría la izquierda en el poder. Para ello, la CIA no dudó en mantener inalterados los estrechos contactos que poseía con la mafia siciliana y la camorra napolitana desde fines de la Segunda Guerra. Tampoco dudó en mirar para otro lado cuando las Brigadas Rojas asesinaron al primer ministro italiano, Aldo Moro, en 1978, o cuando volaron la estación de tren de Bologna matando a decenas de inocentes. Las frecuentes noticias acerca de los lazos de ex políticos italianos, que ocuparon altísimos cargos de poder, con la mafia (por ejemplo, la prensa y la justicia italianas nombraban con frecuencia a Giulio Andreotti, entre otros) deben entenderse como engranajes de una maquinaria mayor utilizada como una estrategia de la CIA.

Especial atención merece la "obra" de la CIA en Vietnam, no precisamente misionera de la democracia y el capitalismo.

La guerra de Vietnam

No habían dejado de tronar los últimos cañones de la Segunda Guerra Mundial cuando a las "mentes brillantes" que luego formarían la CIA se les ocurrió una maquiavélica idea. Como había un estado de guerra en Indochina entre los franceses y las tropas vietnamitas de ideología comunista de Ho Chi Minh, decidieron aprovecharse de la situación. Dado que los franceses eran considerados en la zona en el largo plazo como más peligrosos por los norteamericanos, éstos decidieron armar "hasta los dientes" a los comunistas insurrectos. Aparentemente, Laurance Rockefeller habría tenido (según Norman Livergood, en *The new US-British oil imperialism*) mucho que ver en la decisión dado que ocupaba el puesto de vicegobernador en la vecina isla de

Okinawa. Al hablar de Laurance Rockefeller nos referimos al mismo que decidió volcar ingentes recursos a financiar fundaciones para el estudio de los platos voladores (llegó a prologar libros al respecto). Los comunistas vietnamitas derrotaron entonces a los franceses. La ocasión estaba dada para que los "gendarmes de la libertad" entraran en acción. Los norteamericanos pensaron que era tarea fácil quedarse con las ex colonias francesas. Y decidieron entonces matar varios pájaros de un tiro: luchar contra los vietnamitas comunistas les podía ofrecer un pretexto que consideraban válido para ingresar en una guerra que escondía muy sórdidos intereses económicos. Entre ellos, uno de los principales era el petróleo. Siempre según Livergood, ya desde los años '20 existía un estudio escrito por el ex presidente Herbert Hoover que demostraba la existencia de petróleo en el mar del sur de China, justamente a lo largo de la costa vietnamita. Fue precisamente en la década del 50 cuando se perfeccionó un método para extraer petróleo submarino. Ni lerdos ni perezosos, los miembros de la elite petrolera norteamericana decidieron no perder la ocasión. Por supuesto, sin la CIA hubiera sido imposible. En resumidas cuentas, Estados Unidos inventó una guerra contra el comunismo, como fue la de Vietnam, uno de cuyos objetivos económicos principales era en realidad explorar íntegramente la costa vietnamita del mar del sur de China.

Mientras los soldados norteamericanos y vietnamitas morían de a miles en las pantanosas junglas asiáticas y decenas de miles de civiles inocentes perdían sus vidas, los barcos encargados de las exploraciones petroleras realizaban explosiones en la costa de Vietnam. Se equivoca quien cree que estaban disparando: estaban haciendo explotar minas en el fondo submarino, a fin de conocer con los nuevos métodos de exploración petrolera dónde había petróleo y dónde no. Claro que, de lejos, daba toda la sensación de que los barcos estaban dando una mano a los pobres soldados norteamericanos. Debe entenderse bien lo que estaba sucediendo. Mientras Estados Unidos entregaba sus jóvenes para morir en una guerra —de la cual escaparon personajes como Clinton y Bush a pesar de contar, en aquella época, con la edad ideal de reclutamiento— y mientras el pueblo financiaba con el pago de impuestos la concreción de esas matanzas, al oligopolio petrolero y a la elite que domina el negocio les estaba saliendo gratis la exploración de la que se consideraba en aquel entonces una de las cuencas de hidrocarburos más rica del mundo. Peor aún: si la Standard Oil hubiera decidido explorar en medio de un proceso de paz esa costa, probablemente hubiera obtenido la oposición en las Naciones Unidas de Francia, Vietnam, China y Japón. Obviamente, se necesitaba una guerra para poder llevar a cabo la operación de manera sigilosa y efectiva en un ciento por ciento. Livergood señala que "aun observadores muy cercanos sólo habrían visto pequeñas explosiones diarias en las aguas del mar del sur de China, y hubieran pensado que eso era parte de la guerra (...)", y que la Standard Oil no gastó un solo centavo en estas tareas. Veinte años más tarde y luego de que 57 mil americanos y medio millón de vietnamitas murieran, la Standard Oil tenía datos suficientes sobre todo el petróleo existente en el mar, por lo que la guerra bien podía concluir. Henry Kissinger (asistente personal de Nelson Rockefeller) representó a Estados Unidos en las conversaciones de paz llevadas a cabo en París, y obtuvo el Nobel (¡¡!!). Cuando años más tarde Vietnam licitó la explotación del petróleo en sus costas, casi todas las empresas petroleras que intentaron extraer hidrocarburos perdieron vastas sumas de dinero, al excavar donde no había nada. Una sola empresa dio en la tecla y licitó sólo las áreas donde había mucho petróleo. Livergood nos devela algo que no es precisamente un misterio: la Standard Oil.

Pero sería injusto decir que el petróleo fue la única causa de la guerra de Vietnam. Hubo otras. Una de ellas, también muy importante. Por supuesto que no fue tanto la lucha contra el comunismo, tan caro al ideario de Brzezinski y David Rockefeller. Se trataba nada menos que de la necesidad de controlar, sin "moros en la costa", la producción y la salida marítima del producto derivado de lo que suele ser el mejor negocio del llamado "Triángulo Dorado" (Tailandia, Burma, Laos): la heroína. Varios autores señalan en sus obras las frecuentes y fructíferas exportaciones de heroína de esta zona a Estados Unidos. Entre ellos, una de quienes mejor lo han hecho es la periodista Penny Lernoux, quien en su obra póstuma *In banks we trust*, aparecida en 1984, muestra cómo la heroína que salía de Indochina arribaba a San Francisco vía Australia. En la misma obra, Lernoux devela el misterio de cuáles son los principales bancos implicados en el lavado del dinero del narcotráfico de la zona: nombra y hasta muestra en gráficos al Chase Manhattan Bank y al Citibank. Lernoux murió en 1989, a poco de asumir Bush padre como presidente.

No debe extrañar al lector, entonces, que haya acaecido la sangrienta guerra de Vietnam, sobre todo si había petróleo y posibilidades de procesar opio en zonas cercanas. La CIA era especialista en armar los escenarios, poner los señuelos y desinformar a través de los medios de comunicación de lo que realmente estaba sucediendo. Tampoco debe extrañar que en países vecinos haya habido en la misma época cruentas guerras civiles, como por ejemplo el siniestro caso de Camboya (República Kampuchea). En su breve pero detallada obra (*The CIA greatest hits*), Mark Zepezauer detalla los horrores que todos pudimos ver en el film *The killing fields*, cuando el proceso de colectivización agrícola forzada llevada a cabo por el criminal Pol Pot mató brutalmente nada menos que a un tercio de toda la población camboyana, con el apoyo encubierto de la CIA. Si la excusa en Vietnam había sido el comunismo, en Camboya no había ninguna excusa ideológica: no había comunismo antes de que la CIA instaurara el régimen comunista de los Khmer Rouge. Sería largo, tedioso, citar todas las grandes operaciones de la CIA en sus tristes cincuenta años de vida: de la frustrada operación de Bahía de los Cochinos en Cuba hasta el Golpe de los Coroneles en Grecia; desde el golpe militar contra Salvador Allende el 11 de septiembre de 1973 hasta la masacre de suicidio colectivo de Johnstown, Guyana, donde la CIA habría llevado a cabo un experimento de control colectivo; desde el derrocamiento del gobierno legítimo de Guatemala de Jacobo Arbenz, efectuado simplemente para impedir una reforma agraria que hubiera ido en detrimento de la United Fruit (empresa de la familia Rockefeller), hasta su participación en el escándalo de Watergate, y en las muertes de los hermanos Kennedy, Martin Luther King, Malcolm X, etc., etc.

La CIA y el Vaticano

La CIA no conoce límites tampoco cuando se trata de religiones. En su obra *Por voluntad de Dios*, David Yallop muestra con lujo de detalles cómo la muerte del papa Juan Pablo I, Albino Luciani, habría sido obra de socios de la CIA (la logia masónica P-2, el Banco Ambrosiano y el Istituto per le Opere Religiose) y algunos de sus agentes infiltrados en el Vaticano (el cardenal norteamericano Paul Marcinkus). Juan Pablo I habría estado en completo desacuerdo con los lazos financieros existentes entre el Vaticano y la banca italiana socia de la CIA (Banco Ambrosiano), y deseaba no sólo romper esos lazos que se habían fortificado con el papa Paulo VI sino también difundir episodios de corrupción relacionados con las finanzas vaticanas, hacer un *mea culpa* en nombre de la Iglesia. De hecho, iba a depurar la Curia romana al día siguiente de su muerte. El intento de Juan Pablo I de separar a Roma de los socios de la CIA concluyó abruptamente con lo que habría sido su envenenamiento. Con Juan Pablo II, quien desde joven era un ferviente anticomunista, el Vaticano se habría prestado[4] no sólo a seguir manteniendo en secreto la cadena de corrupción que Juan Pablo I estaba por revelar, sino también a acentuar los lazos entre el Vaticano y la CIA. Al respecto, durante los años '80 habría permitido que la CIA canalizara fondos a través de organizaciones relacionadas con el Vaticano al sindicato Solidaridad, que en la ciudad polaca de Gdansk (el ex corredor de Danzig) venía organizando revueltas contra el régimen comunista polaco. La CIA veía a Polonia como un país estratégico para acelerar la caída del régimen comunista de la URSS. En la tesis oficial, increíble-

[4] Ver el sitio de Internet *www.angelfire.com/ca3/jphuck/rightframe.html*.

mente expresada en *Victory. The Reagan administration's secret strategy that hastened the collapse of the Soviet Union*, Peter Schweizer comenta, tras la euforia del triunfo sobre el comunismo de la era Reagan-Bush, cómo la Unión Soviética cayó como consecuencia directa de la estrategia y los ingentes esfuerzos realizados en ese sentido por la CIA. O sea, algo muy distinto de la tesis que los propios Estados Unidos suelen divulgar en los medios, caracterizada por focalizar la ineficiencia del régimen soviético, sin citar en ninguna parte a la CIA.

Es necesario hacer notar que la colaboración entre el Vaticano y la CIA para financiar a Solidaridad se dio —quizá no casualmente en forma mayoritaria— tras el fallido atentado contra el papa Juan Pablo II en mayo de 1981, cuya autoría en los medios se adjudicó a los servicios secretos búlgaros y a la KGB. Algo muy diferente habría ocurrido, en realidad, dado que, como bien documenta Edward Herman en *The rise and fall of the Bulgarian connection*, la supuesta conexión entre Bulgaria, la KGB y el asesino Alí Agca no era otra cosa que un invento de la CIA. Nunca pudo comprobarse fidedignamente que la CIA hubiera estado atrás dél atentado (habría sido un escándalo mundial)[5] pero, si lo hubiera estado, entonces podríamos observar

[5] El atentado se llevó a cabo sólo tres semanas más tarde de que el director de la CIA, Bill Casey, se reuniera en Roma con monseñor Agostino Casarolli para pedirle colaboración directa del Vaticano en la lucha contra el comunismo en la ex Unión Soviética y sus aliados de Europa Oriental. Casarolli se mostró en un principio un tanto elíptico, dando a entender que el Papa no estaba convencido de tal cosa. El atentado habría contribuido a hacerlo cambiar de parecer. Muchos autores entienden que en realidad es dudoso que el objetivo del atentado haya sido matar a Juan Pablo II, sino sólo herirlo. Ocurre que Agca es un excelente tirador profesional. No le apuntó a sus órganos vitales sino al abdomen. Lo sugestivo es que Agca se hallaba a pocos metros del Papa cuando atentó contra su vida. En el posterior juicio, la justicia italiana demostró que los servicios secretos búlgaros nada tuvieron que ver con el atentado. La prensa dio en principio amplia cobertura a la participación supuesta de Bulgaria y —probablemente— la KGB en el atentado. Pero tuvo escasa o nula repercusión el resultado final del juicio, que fue en sentido contrario.

con claridad el clásico "doble beneficio" que la CIA suele sacar de muchas de sus actividades criminales: comete un crimen que le conviene con fines políticos y, simultáneamente, en forma de propaganda difunde en los medios que el autor del crimen fue el enemigo. A veces hay hasta un "tercer beneficio": se gana dinero.

Pero quizá mucho más peligrosa que las propias operaciones de la CIA es la infiltración que la misma realiza en los medios de comunicación. En su artículo "CNN: The covered news network", el periodista Greg Bishop señala:

"En un artículo de 1977 en *Rolling Stone*, el ganador del premio Pulitzer (junto a Bob Woodward) por el escándalo de Watergate, Carl Bernstein, descubrió una lista de más de 400 periodistas y una cantidad de editores y empresarios de medios de comunicación que básicamente habían estado 'estampillando' propaganda de la CIA desde los años '50. El grupo incluía las revistas *Life* y *Time*, la cadena CBS e incluso a Arthur Sulzberger (...)".

Para quienes el apellido Sulzberger nada diga, basta con mencionar que es la máxima cabeza empresarial y quien establece la línea editorial del supuestamente independiente *New York Times*. Si ya en 1977 la CIA tenía 400 activistas camuflados de periodistas, dueños de medios de comunicación y editores, ¿cuántos puede tener en 2003? Quizás ahora podamos tener una mejor idea de lo ocurrido en los años '90 con los medios de comunicación en América latina, cuando un amigo del ex director de la CIA Bush padre (Tom Hicks) invirtió enormes sumas en la región para comprar canales de TV, estaciones de radio y cadenas de cable, casi al por mayor, pagando lo que nunca podían llegar a valer por sus propios resultados comerciales. ¿Tenemos la CIA en casa cada vez que prendemos la TV?

La CIA en las Universidades

Pero no sólo los medios de comunicación han sido "presa fácil", desde ya hace mucho tiempo, de la agencia de inteligencia semisecreta norteamericana, que en realidad está al servicio de una reducida elite anglo-norteamericana. En un megasitio de la red (*www.cia-on-campus.org*) podemos encontrar información reveladora en un artículo de David Gibbs titulado "Academics and spies":

"Durante los años '40 y '50, la CIA y la inteligencia militar estaban entre las mayores fuentes de apoyo financiero a los científicos sociales estadounidenses. En Europa, la agencia apoyaba secretamente a algunos de los escritores más conocidos y a estudiosos a través del Congreso para la Libertad Cultural (...) Desde 1996, la CIA ha hecho público que, de acuerdo con expertos en inteligencia, la estrategia de reclutar objetivos académicos de *top priority*, ha resultado bien".

La infiltración de la CIA abarcaría prácticamente todo el aparato educativo universitario norteamericano. El objetivo de la agencia de inteligencia no sólo habría sido reclutar entre sus filas a científicos, profesores, educadores, sino también a alumnos, y muchas veces a alumnos extranjeros.

El historiador Bruce Cummings, conocido por su historia en dos volúmenes de la guerra de Corea, se ha ocupado especialmente de este tema. Según Cummings, "demasiados estudiosos hoy, particularmente en el ámbito de las relaciones internacionales, colaboran con el gobierno. Es común que muchos jóvenes y viejos sean reclutados por el National Security Council o por la CIA como consultores por un tiempo". Particularmente significativa resulta la mención que, en el mismo megasitio y en el artículo homónimo, Robert Witanek efectúa sobre el reclutamiento de estudiantes extranjeros. Veamos:

"Hacia inicios de los años '50, el programa se había expandido para incluir el reclutamiento de estudiantes extranjeros en universidades norteamericanas, a fin de servir como agentes de la CIA cuando retornaran a sus respectivos países. El reclutamiento de estudiantes extranjeros tenía sus raíces en programas anteriores de fines de los años '30 y de los años '40, cuando estudiantes de países amigos eran admitidos en las academias militares norteamericanas. Sus servicios eran especialmente deseados por Estados Unidos, dado que cuando retornaran a sus países formarían parte de la elite militar de sus respectivas naciones. A través de ellos, Estados Unidos esperaba influenciar la marcha de los acontecimientos en esos países y acceder a información en los trabajos secretos de sus respectivos gobiernos. Hacia fines de los años '70, alrededor de 5 mil académicos estaban haciendo su aplicación para entrar a la CIA (...). Existían comités que monitoreaban todo el tiempo a los 250 mil estudiantes extranjeros en Estados Unidos a fin de seleccionar entre 200 y 300 futuros agentes de la CIA. Alrededor de 60% de los profesores, investigadores y administradores de las universidades estaba totalmente al tanto y recibía compensación directa de la CIA como empleados contratados, o se les entregaban becas de investigación por su rol como reclutadores encubiertos de la CIA."

¿Dónde queda, entonces, el supuesto prestigio que en el mundo ganaron desde los años '70 las universidades norteamericanas? Durante muchos años, para numerosas familias de todo el mundo resultaba altamente deseable que sus hijos efectuaran cursos de grado o posgrado en Estados Unidos. Supuestamente, la formación científica era muy superior a la de otras universidades. Lo que no sabíamos era que, además de la manipulación del conocimiento científico que antes señalamos como una constante deseada por la elite financiero-petrolera, generalmente dueña, financiadora o directora de las universidades, los estudiantes extranjeros iban a estar bajo un constante monitoreo de la CIA con el fin de ganar agentes en el exterior y, por si fuera poco, que más de la mitad de los profesores recibían y reciben pagos de la CIA para "facilitar" el acceso a los alumnos.

Pero las sorpresas no terminan allí. En el informe oficial conocido popularmente como el "Church Committee Report" del Congreso norteamericano, en la página 189, se señala:

"(...) La CIA está usando ahora a unos cientos de académicos norteamericanos, quienes adicionalmente a proporcionar pistas y presentaciones por cuestiones de inteligencia, ocasionalmente escriben libros y otro material para ser usado con fines de propaganda en el exterior. (...) Estos académicos están localizados en más de cien universidades e institutos norteamericanos."

Quizás ahora también podamos entender con más precisión lo que ocurrió con John Nash y con el discreto encubrimiento que han sufrido sus descubrimientos acerca de la falsedad de las teorías de Adam Smith, frente a la sobreexposición de teorías económicas sin real basamento científico (como la llamada "escuela de expectativas racionales" de Lucas). El "Church Committee Report" fue escrito en 1976. ¿Cuánto más habrá avanzado la infiltración de la CIA en directores, profesores y alumnos de universidades norteamericanas, desde aquella época? En el mismo trabajo, Volksman señala:

"Yale ha sido terreno fértil en el reclutamiento de agentes de la CIA desde que la Agencia comenzó en 1946. En realidad, muchos de los primeros ejecutivos de la CIA proceden de Yale y de otras escuelas de la IVY, por la cual la CIA fue acusada durante muchos años de corresponder a los intereses del *establishment* anglo-norteamericano. La acusación era verdad: 25% de los ejecutivos *top* de la CIA habían sido alumnos de Yale."

En el mismo trabajo se señala que la universidad norteamericana que es la principal base de reclutamiento de alumnos extranjeros, para que al retorno a sus países se desempeñen como agentes de la CIA, es nada menos que... la Universidad de Harvard. Ahora puede que algunas cosas acerca del grado de penetración que la política y la propaganda del CFR han realizado en el mundo queden más claras. ¿Cuántos funcionarios europeos, latinoamericanos, asiáticos y africanos han estudiado en Harvard?

187

Cabe mencionar que las tres universidades norteamericanas que más fondos manejan son, no por casualidad: primero, la Universidad de Harvard[6], principal socia universitaria de la CIA, y segundo, la Universidad de Yale, casa de estudios de los Bush, Harriman, Rockefeller y la aristocracia norteamericana que maneja la CIA.

Pero las actividades de la CIA en el mundo universitario y en la cultura no se ha reducido a infiltrar universidades en todos sus niveles. Frances Stonor Saunders, en *La CIA y la guerra fría cultural*, nos muestra cómo, tras la Segunda Guerra Mundial, la CIA se logró infiltrar en prácticamente todos los espacios de la cultura. Muchas veces lo hacía mediante fundaciones "filantrópicas" y congresos culturales, así como también exposiciones, conciertos y hasta giras de orquestas sinfónicas. También describe cómo la CIA subvencionaba ambiciosos programas editoriales, y hasta se ocupaba de realizar traducciones a todos los idiomas. Stonor Saunders asimismo narra cómo las revistas de toda Europa y otros lugares del mundo compensaban la caída en ingresos por publicidad mediante supuestos mecenas tras los cuales se escondía la CIA. Quizá lo peor de todo, siempre según Stonor Saunders, es cómo muchos de los más elocuentes exponentes de la libertad intelectual de Occidente se convirtieron en instrumento de los servicios secretos estadounidenses. En buena cantidad de ocasiones, la manipulación de intelectuales por parte de la CIA se daba incluso sin que éstos lo supieran, y generalmente aun cuando no les gustara.

El FBI (Federal Bureau of Investigations) no es otra cosa que una "policía paralela" interna en Estados Unidos. La visión un tanto romántica de las series y películas norteamericanas acerca

---

[6] El director del fondo de inversiones, Robert Stone, está casado con una Rockefeller e invirtió, para desgracia de los profesores de esa universidad, fuertes sumas en acciones de la Enron antes de la caída. Se ve que no aprende de la experiencia, dado que hace muchos años, cuando "Dubya" Bush era accionista de Harken, decidió invertir en esa firma. Claro que Bush vendió las acciones a precios cercanos al máximo de la época, mientras que el fondo de inversión de la Universidad de Harvard tuvo que soportar, estoico, la baja de las acciones de la Harken de US$ 4 a cerca de US$ 1 por unidad.

de los laboriosos e incorruptibles agentes, que muchas veces se quedan a trabajar a deshoras para resolver tétricos crímenes comiendo fría comida china llevada a domicilio, no es otra cosa que propaganda de cuarta calidad. Muchas veces hemos oído hablar acerca de los crueles crímenes de la Gestapo de Hitler. La Gestapo no era otra cosa que una policía paralela. De la misma manera que el FBI, desde su instauración en 1935 por el ex presidente Franklin Delano Roosevelt (reconocido miembro de una sociedad secreta), opera en el mismo sentido. El FBI fue dirigido durante más de tres décadas por un siniestro personaje, también miembro de una sociedad secreta: J. Edgar Hoover. Bajo el comando de Hoover, el FBI realizó todo tipo de operaciones internas. Por ejemplo, manipuló al senador Joseph McCarthy durante los años '50 para que llevara a cabo su famosa "cruzada anticomunista" y llevó a la práctica, durante décadas, el racista y temible Counter Intelligence Program (COINTELPRO), mediante el cual los agentes del FBI espiaban las actividades de los miembros más importantes de todas las minorías raciales en Estados Unidos (incluidos los indígenas en las reservas). El FBI no se limitó a espiar, sino que en muchas ocasiones actuó de manera violenta contra quienes creyó que podían poner en relativo jaque la supremacía blanca y anglosajona en todas las estructuras de poder norteamericanas. Mientras todo esto ocurría silenciosamente, sin que los medios de comunicación divulgaran la menor noticia al respecto, J. Edgar Hoover era mostrado profusamente en los medios como un paladín de la lucha contra el crimen, como el "tío bueno" que todo americano deseaba tener. Hoover era temido aun por personajes muy poderosos debido a que poseía archivos personales de empresarios, políticos e intelectuales. No los coleccionaba, sino que los usaba con fines extorsivos. El inescrupuloso mandamás del FBI fue puesto y mantenido en su cargo directamente por la elite. Existen muchas especulaciones de que J. Edgar Hoover era en realidad hijo bastardo de uno de los miembros de la elite y hasta se dice que habría sido concebido en uno de los rituales de una sociedad secreta.

Los Organismos Internacionales

El control social y global no se lleva a cabo solamente mediante la existencia de lúgubres organizaciones como la CIA y el FBI. También han sido creados con el mismo objetivo una gran profusión de organismos internacionales. Muchos de ellos se generaron después de la Primera Guerra Mundial, mientras se gestaba la propia existencia del CFR. Otros, en cambio, vieron la luz luego de la Segunda Guerra Mundial.

Las Naciones Unidas fueron creadas después de la Primera Guerra Mundial, con el supuesto fin prioritario de evitar otra guerra tan atroz como la de 1914-1918. Sin embargo, poco más de dos décadas más tarde, el mundo se veía envuelto en un conflicto bélico mucho peor. El nombre que se le dio inicialmente a las Naciones Unidas (Sociedad de las Naciones) debió ser cambiado, y su estatuto interno también, debido en buena manera al pésimo concepto que las poblaciones de todo el mundo tenían de la Sociedad de las Naciones. Si bien las Naciones Unidas poseen, a través de varios organismos satélites, muchos programas de ayuda humanitaria, existe la creencia —no sin fundamento— de que tras el fin de la Guerra Fría este organismo se ha convertido en una especie de títere de los deseos de Estados Unidos y, por vía indirecta, del CFR.

El apoyo que logró en 1990 Bush padre en el ámbito de las Naciones Unidas para ir a la guerra contra Irak, a pesar de haber basado sus tesis en mentiras y engaños, muestra a las claras que el organismo, como mínimo, no estuvo a la altura de las circunstancias. Que George W. Bush, en el 2002, no haya logrado la aprobación de las Naciones Unidas para ir de vuelta a la guerra con Irak, no significa que la ONU haya ganado espacios de libertad e independencia como organismo, sino que las poblaciones de varios de los países más importantes del mundo comienzan a darse cuenta de que muchos de sus líderes los han sometido a procesos de manipulación y, por lo tanto, ya no puede tomarse la decisión de encolumnarse tras Estados Unidos e Inglaterra sin pagar enormes costos. Este sano proceso por el cual en muchos países se generaliza la conciencia de que tras las guerras casi nunca se esconden objetivos de justicia es un producto no deseado y muy temido por la elite. A fin de medir este progreso en la concientización de los pueblos basta con mencionar que en 1990 Bush padre no sólo logró aprobar mediante las Naciones Unidas la guerra contra Saddam Hussein, sino que además, en un gambito diabólicamente magistral, logró facturarles la guerra a Alemania, Arabia Saudita, Japón y el emir de Kuwait. En efecto, durante 1991 y 1992 ingresaron a Estados Unidos unos 60 mil millones de dólares de esas cuatro naciones como pago por haber llevado en forma exitosa la llamada *Desert Storm* (operación Tormenta del Desierto). En realidad, Bush no estaba inventando nada nuevo cuando creó un nuevo producto de exportación: la guerra. Había aprendido lo suficiente de sus "padrinos" de la elite financiero-petrolera que hacía siglos venían financiando guerras en Europa, América y el resto del mundo, con el fin de debilitar los Estados nacionales, a los cuales, tras las contiendas, se les imponían duras condiciones para pagar el financiamiento de ellas. Las Naciones Unidas, en toda su existencia, no se movieron un ápice para prohibir o limitar la financiación de guerras. Los conflictos bélicos serían imposibles si nadie los financiara, o si hubiera un boicot a financiar empresas armamentísticas. Por lo contrario, se puede "narcotizar" la conciencia social acerca de la verdadera naturaleza de estos organismos internacionales, que muchas veces han servido para dotar de un barniz de legalidad a sangrientos conflictos entre países, generalmente se nombra al comando de las Naciones Unidas a un miembro de la raza negra o a un latinoamericano, lo que también da un barniz de pluralismo, tolerancia y supuesta democracia, en lo que muchas veces no es otra cosa que una parodia.

Si bien el control político que la elite ejerce sobre la sociedad global se da a través de las Naciones Unidas y sus organismos satélite, el control económico se hace merced al Fondo Monetario Internacional (FMI) y al Banco Mundial (BIRF) y demás organismos satélite como el Banco Interamericano de Desarrollo (BID). Estas entidades fueron creadas tras la Segunda Guerra Mundial. La función del FMI era, en aquella época, ayudar a mantener un esquema de paridades de cambio fijas contra el oro. En el caso de muchos países subdesarrollados, que poseían pocas reservas de oro y divisas, y que emitían fuertes cantidades de papel moneda, lo que a veces provocaba inflación, el objetivo del FMI era generalmente prestarles a fin de que pudieran realizar sus pagos externos a cambio de un ajuste interno y de una devaluación de su moneda comparable con el grado de emisión monetaria e inflación que dichos países habían padecido antes. De esta forma, el objetivo del FMI en realidad no era otra cosa que mantener a la vez inalterado el sistema de pagos internacionales y las relaciones de precios relativos entre las naciones del mundo. Este concepto, que muchas veces permanece a oscuras, implicaba en realidad decidir tácitamente qué países debían industrializarse y cuáles no, y poseía un efecto a la vez determinante en la distribución mundial del ingreso. O sea, se decidía también implícitamente qué sociedades podían enriquecerse y cuáles no. Una vez que un país comenzaba a endeudarse fuertemente con el FMI, perdía todo tipo de libertad, sea quien fuere quien estuviese en su gobierno, para realizar cualquier tipo de políticas sociales que no tuvieran la autorización expresa del organismo internacional. Por lo tanto, tras la fachada de un supuesto "hospital" de países económicamente "enfermos", se escondía en realidad un carcelero, un gendarme que realizaba exigencias a los gobiernos a cambio de los fondos para pagar las deudas. Cuando en los años '70 Nixon retira a Estados Unidos del sistema de paridades fijas contra el oro, y el sistema de Bretton Woods estalla en mil pedazos, el FMI debió replantearse su misión. Por supuesto, la meta principal de asistir a los países para que éstos pudieran pagar sus deudas quedó inalterada, pero ya no queda régimen de paridades fijas entre monedas para defender.

En muchas ocasiones, cada vez más acentuadas durante los años '90 e inicios del nuevo milenio, el FMI ha hecho la "vista gorda" ante gruesas inconsistencias macroeconómicas de muchos países-miembros. El caso argentino es un ejemplo clásico. Se sabía que el régimen de convertibilidad no podía ser mantenido indefinidamente y que, cuanto más tarde fuera el ajuste, más doloroso sería para la Argentina, porque más deuda pública y privada se acumulaba para sostener la irreal paridad cambiaria de uno a uno entre peso y dólar. A pesar de ello, el FMI hizo la "vista gorda" ante este factor, porque los grandes acreedores de la Argentina, que posibilitaban la ficción de uno a uno entre el peso y el dólar no eran los grandes bancos de Nueva York y Londres sino millones de pequeños inversores tenedores de bonos y deuda estatales, millones de aportantes a las sociedades de jubilación y pensión (AFJP) y de pequeños inversionistas en fondos de inversión. Mientras fuera posible seguir colocando bonos de deuda argentinos en los mercados, los grandes bancos norteamericanos e ingleses podían seguir cobrando honorarios y comisiones muy jugosos sin arriesgar un solo centavo de su propio capital en operaciones de crédito a la Argentina. Por lo tanto, los damnificados de una potencial crisis financiera como la que acaeció a fines de 2001 no iban a ser precisamente los miembros de la elite financiero-petrolera. Más bien, todo lo contrario: la situación de extrema debilidad en la que cayó la Argentina les hacía ganar posiciones a la hora de negociar con eventuales gobiernos argentinos futuras inversiones y préstamos al país.

Es necesario tener en cuenta, entonces, que es imposible que a todos los funcionarios del FMI relacionados con la Argentina se les haya "escapado" la inevitabilidad de la crisis. El punto es que, mientras en Wall Street se podía seguir ganando con canjes, megacanjes, etc., etc., no resultaba conveniente acelerar la salida de la convertibilidad, aunque luego esto se pagara muy caro. Además, una vez de rodillas, la Argentina perdería más independencia y grados de libertad en sus decisiones internas. Ello era un objetivo de la elite.

Hemos citado el caso argentino simplemente porque quizá sea uno de los más paradigmáticos y porque muestra a las claras cómo el FMI, lejos de cumplir como debiera con una verdadera tarea en un mundo realmente democrático, está al servicio de los intereses de unos pocos clanes familiares y de las megacorporaciones que éstos poseen.

La situación del BIRF (Banco Mundial) es aún más clara de comprender. Directamente esta entidad financia proyectos de inversión que los países luego deben contratar con grandes corporaciones privadas situadas precisamente en los países de la elite. Si lo pensamos bien, no es algo muy diferente de en lo que en su momento fue el denominado "Plan Marshall". O sea, aquel plan por medio del cual los contribuyentes norteamericanos financiaban a los países europeos devastados por la Segunda Guerra Mundial para que les compraran productos con *cash* a las grandes corporaciones privadas norteamericanas. Dicho de otra manera, los pequeños y medianos contribuyentes norteamericanos estaban financiando las ganancias de los empresarios más ricos de Estados Unidos. Nada muy diferente sucede con el BIRF. Esta entidad presta fondos a los países subdesarrollados para que realicen proyectos de inversión. Pero la independencia de estos países a la hora de realizar las contrataciones y licitaciones para dichas inversiones es muy limitada. Nuevamente, son los medianos y pequeños los que subsidian la ganancia de los grandes. Para que este esquema pueda mantenerse, obviamente, es necesario comprar la conciencia y el silencio de una gran cantidad de economistas que cobran jugosos honorarios por "trabajos de consultoría" financiados por el FMI, el BIRF, el BID, etc., que en realidad luego se suelen archivar, sin peso alguno, en las decisiones finales crediticias y de contrataciones. Todo el sistema económico-financiero global, entonces, está especialmente diseñado para que, tras una aparente legalidad y legitimidad en préstamos, deudas y contrataciones, se esconda en realidad el interés exclusivo de megacorporaciones privadas y de la elite financiero-petrolera anglo-norteamericana.

Hemos hablado ya en apartados de este y otros capítulos acerca de la necesidad de que todo este cuadro "cierre" mediante el control social y global que ejercen los más grandes medios de comunicación. Por lo tanto, no volveremos a repetir los conceptos acerca de quiénes son los reales dueños de los multimedios globales, y de cómo se manipula a la opinión pública. Sólo haremos referencia a que el medio que suele ser priorizado por la elite como forma primordial de masificar y desinformar es la televisión.

Vale la pena recordar que a fines de los '40, durante todos los '50 y principios de los '60 la televisión crece en EE.UU. como un emprendimiento estatal. Los empresarios de la elite petrolera-financiera norteamericana habían convencido a los funcionarios de la necesidad de destinar fondos públicos para la enorme inversión que era necesaria. Durante aquellos años de TV estatal, las petroleras fueron las principales anunciantes en los programas televisivos. Su participación no se limitaba a la publicidad, sino

194

que se extendía a los contenidos. Por ejemplo, debe recordarse cómo en muchos países se transmitía una versión propia del "Reporter Esso". Cuando el Estado hubo realizado todo el gasto con fondos provenientes de los contribuyentes, la misma elite convenció a funcionarios de las administraciones de Lyndon Johnson y Richard Nixon de la necesidad de que la TV se manejara a través de manos privadas. Ya estaban hechas las principales inversiones. Las familias ya tenían aparatos de TV en las casas. Ahora la televisión era un negocio rentable. ¿Para qué dejarlo en manos del Estado? Además, para ejercer un máximo control social es mejor manejar directamente los medios y sus noticiarios que aportar publicidad y digitar noticias de forma indirecta al estilo "Reporter Esso".

A su vez, las tres principales megacadenas de TV de EE.UU., la CBS, la NBC y la ABC, son en realidad empresas originadas en el antiguo megamonopolio radial RCA. La elite habría decidido generar tres cadenas televisivas, en vez de una, con el fin de crear la ilusión de competencia. A su vez, la RCA fue generada principalmente por el banco Morgan, la United Fruit (Rockefeller) y tres empresas en las que la banca Morgan posee fuertes intereses desde que sus fundadores (Thomas A. Edison, Graham Bell y Westinghouse respectivamente) fueron prácticamente "despojados" mediante ardides de sus acciones. Se trata nada menos que de las actuales General Electric, ATT y Westinghouse.

No debe extrañarnos, entonces, que recientemente el presidente George Bush hijo haya aprobado una controvertida legislación en Estados Unidos luego suspendida por el Congreso, aunque no se sabe por cuánto tiempo) que permite que las cadenas privadas de televisión compren debilitados diarios y periódicos regionales y estaduales norteamericanos. Es sólo una aparente paradoja que esta legislación fuera aprobada y llevada a cabo justamente por el mismo personaje que en la era de Nixon y Ford había impedido que los diarios regionales y estaduales compraran canales estaduales de televisión. La paradoja es sólo aparente porque la televisión, a pequeña escala, durante los años '70 estaba surgiendo en Estados Unidos como una herramienta de la elite para lograr una mayor homogeneización en la información a la cual poblaciones de alejadas regiones podían acceder. Lo que acaba de aprobar Bush en el 2003, y aún no logró llevar a cabo va, entonces, en el mismo sentido: lo que se permite es que pequeños diarios antiguamente independientes sean adquiridos y dependan editorialmente de canales de televisión, pertenecientes a las grandes cadenas. Como se ve, el control de la información y la política comunicacional interna de Estados Unidos está cada vez más concentrada en unas pocas manos. Lamentablemente, algo no muy diferente ha venido sucediendo en todo el mundo en forma cada vez más acelerada.

BIBLIOGRAFÍA

LIBROS:

ANDREWS, George: *MKULTRA. The CIA's top secret program in human experimentation and behavior modification.* Healthnet Press, 2001.

BARNOUW, Erik: *Conglomerates and the media.* The New Press, 1997.

BLUM, William: *Killing hope. US military and CIA interventions since World War II.* Common Courage Press, 1995.

BRUCE, Tammy: *The new thought police. Inside the left's assault on free speech and free minds.* Prima Publishing, 2001.

CHOMSKY, Noam: *Estados canallas. El imperio de la fuerza en los asuntos mundiales.* Paidós, 2002.

CONSTANTINE, Alex: *Psychic dictatorship in the U.S.A.* Feral House, 1995.

HERMAN, Edward; BRODHEAD, Frank: *The rise and fall of the Bulgarian connection.* Sheridan Square Publications, 1986.

HERMAN, Edward; CHOMSKY, Noam: *Manufacturing consent. The political economy of mass media.* Pantheon Books, 1988.

JASPER, William: *The United Nations exposed. The internationalist conspiracy to rule the world.* The John Birch Society, 2001.

KEITH, Jim: *Mind control, world control. The encyclopedia of mind control.* Adventures Unlimited Press, 1997.

KESSLER, Ronald: *Inside the CIA. Revealing the secrets of the world's most powerful spy agency.* Simon & Schuster, 1992.

KICK, Russ: *Everything you know is wrong. The disinformation guide to secrets and lies.* The Disinformation Company, 2002.

KICK, Russ: *You are being lied to. The disinformation guide to media distortion, historical whitewashes and cultural myths.* The Disinformation Company, 2001.

KORS, Alan Charles; SILVERGLATE, Harvey: *The shadow university. The betrayal of liberty on America's campuses.* Harper Perennial, 1998.

LEE, Martin; SHLAIN, Bruce: *Acid dreams. The complete social history of LSD: the CIA, the sixties and beyond.* Grove Press, 1985.

LERNOUX, Penny: *In banks we trust.* Anchor Press/Doubleday, 1984.

MARKS, John: *The search for the 'Manchurian Candidate'. The CIA and mind control. The secret history of the behavioral sciences.* W. W. Norton & Company, 1979.

MAZZOCCO, Dennis: *Networks of power. Corporate TV's threat to democracy.* South End Press, 1994.

McCHESNEY, Robert: *Rich media, poor democracy. Communication politics and dubious times.* The New Press, 1999.

McCOY, Alfred: *The politics of heroin in Southeast Asia.* Harper & Row Publishers, 1972.

SALBUCHI, Adrián: *El cerebro del mundo. La cara oculta de la globalización.* Ediciones del Copista, 1996.

SCHWEIZER, Peter: *Victory. The Reagan administration's secret strategy that hastened the collapse of the Soviet Union.* The Atlantic Monthly Press, 1994.

STONOR SAUNDERS, Frances: *La CIA y la guerra fría cultural.* Editorial Debate, 2001.

YALLOP, David: *¿Por voluntad de Dios?* Sudamericana, 1984.

ZEPEZAUER, Mark: *The CIA greatest hits.* Odonian Press, 1994.

INTERNET:

BISHOP, Greg: "The covered news network", CNN.

GIBBS, David: "Academics and spies". *www.cia-on-campus.org.*

HUCK, Jim: "The truth". *www.angelfire.com/ca3/jphuck/rightframe.html.*

LIVERGOOD, Norman: "The new US-British oil imperialism".

7. PODER Y SOCIEDADES SECRETAS

◆

*Los hijos de la elite, alrededor de 0,5%, iban a las escuelas llamadas
"academias", y se les enseñaba a pensar y ser independientes. Alrededor
del 5,5% iba a las Realschulen, donde se les enseñaba parcialmente
cómo pensar. El otro 94% iba a las Volksschulen, donde se los inducía a
ser un seguidor y un buen ciudadano.*

Acerca del sistema de educación de Prusia,
en *Addresses to Germans*, por Johann Fichte.

*Hay dos historias: la historia oficial, embustera,
que se enseña* ad usum delphini, *y la historia secreta, en la que se
encuentran las verdaderas causas de los acontecimientos:
una historia vergonzosa.*

Honoré de Balzac.

Hemos visto en capítulos anteriores la existencia de una especie de gobierno mundial en las sombras: el CFR. Ahora bien, dijimos que el CFR posee cerca de 3 mil miembros, un 80% de los cuales es estadounidense. Pensar en un gobierno en el que se expresan simultáneamente 3 mil voces, 3 mil opiniones, 3 mil ideas, es claramente una utopía. Están dentro del CFR los que van a hablar, y están los que van a escuchar. En otras palabras, hemos mencionado que en el CFR hay una gran cantidad de educadores, periodistas, abogados, economistas, políticos, empresarios, etc. Dentro de esa variada gama están aquellos para los cuales tan sólo figurar en el CFR es un gran honor y son convocados para infiltrar en sus organizaciones el ideario del CFR, y están aquellos para los cuales figurar dentro es una tarea imprescindible a fin de "bajar línea" a una gran cantidad de miembros del CFR que no son más que ejecutores, dentro de sus respectivos ámbitos de acción, de las políticas que piensa y decide la elite. La elite es un número de gente mucho más reducido. Hay en el CFR miembros de la elite, pero... ¿cómo se organiza la elite?, ¿cómo decide qué líneas de acción seguir a fin de que los miembros del CFR puedan cumplimentarlas en sus respectivos ámbitos? Ya hemos dicho que muchas veces una idea que resulta apetecible a la elite es divulgada por sus miembros dentro de los ámbitos del CFR con el fin de que aparezcan por anticipado críticas y señalamientos contra ella. De esta manera, los integrantes de la elite, por anticipado, pueden tener una acabada idea del grado y tipo de oposición que sus deseos de dominio global pueden generar dentro de las sociedades cuando esas ideas sean anunciadas. Ello les permite muchas veces lanzar políticas de dominio con cierto "marketing" previo que las hace aparecer como democráticas y como conducentes para alcanzar fines supuestamente altruistas. El grado de resistencia popular a esas ideas es, entonces, mucho menor.

Cuando nos hemos referido a la elite, generalmente lo hemos hecho en términos de la elite anglo-norteamericana. Es hora de explicar mejor qué significa esto. En realidad el Reino Unido y Estados Unidos son dos países diferentes, pero sus clases dominantes guardan muchas similitudes. Ambas son WASP (White Anglo-Saxon Protestant). La alta aristocracia norteamericana, en la que suelen abundar algunos apellidos totalmente desconocidos para el gran público, está compuesta casi íntegramente por descendientes de colonos ingleses del siglo XVII que se establecieron generalmente en Massachusetts y zonas cercanas. Por generaciones y generaciones, los descendientes de esas familias de colonos se fueron casando entre sí. Los llamados "padres de la república" descienden directamente de esos colonos. Esta idea elitista —casi racista— de no juntarse ni aparearse con personas ajenas a lo considerado racialmente óptimo ha mantenido a la elite en su pretensión de ser casi racialmente pura. Cuando mencionamos que algunos árboles genealógicos de la familia Bush llevan su ascendencia hasta los lejanos reyes ingleses del siglo XIII, estamos diciendo algo que puede resultar un detalle, casi una curiosidad, para el gran público. Pero no resulta ningún detalle ni ninguna curiosidad, ni para la alta aristocracia norteamericana e inglesa, ni para los llamados "nuevos ricos". O sea, los clanes burgueses, billonarios, que obtuvieron sus fortunas generalmente financiados por banqueros ingleses durante el siglo XIX, y desarrollaron así en Estados Unidos el petróleo, los ferrocarriles, la banca, etc. En otras palabras, los denominados *robber barons*.

Hemos señalado también cómo incluso la religión de la elite (la religión nominal, se entiende) coincide con la religión existente en el Reino Unido. El episcopalianismo de la aristocracia norteamericana es sólo una "sucursal" de la iglesia anglicana, que nació como un desprendimiento de Roma. Recordemos que, para los anglicanos, el Papa no es otro que el rey de Inglaterra, representado por el obispo de Canterbury. Las elites inglesa y norteamericana ingresaron en conflicto entre sí muchas veces, y en varias otras se disputaron vastas zonas del mundo. Sin embargo, estas peleas que muchas veces solían traducirse en guerras deberían ser vistas más como riñas internas dentro de un mismo grupo dominante, que como enfrentamientos entre dos enemigos. Suele ocurrir en muchísimos grupos humanos que, aun dentro de un mismo y homogéneo núcleo de gente, con intereses y filosofías afines, existan peleas para ver en último término quién ejerce el liderazgo.

Pues bien, hasta la Primera Guerra Mundial, el liderazgo dentro de este grupo lo tenía indudablemente la elite inglesa. Londres era la metrópoli mundial, la moneda de reserva era la libra y Estados Unidos era sólo una ex colonia muy importante, en desarrollo y rápido ascenso. Pero el liderazgo de Londres era indiscutido. Las cosas empezaron a cambiar después de la Primera Guerra Mundial, y durante el desarrollo de la Segunda ya resultaba claro que el liderazgo había virado hacia Washington DC y Nueva York. Quizás una muestra de ello pueda tenerse con una simple anécdota. Cuando, tras la Segunda Guerra Mundial, el flamante embajador norteamericano en Londres consultó con lord Winston Churchill un pedido del gobierno del presidente Truman para que dejara esa embajada y se desempeñara como secretario de Comercio, la respuesta de Churchill fue: "El poder, ahora, está en Washington". Si Estados Unidos y el Reino Unido fueran dos naciones totalmente independientes entre sí, con clases dominantes que tuvieran intereses contrapuestos, el aristócrata embajador americano en Londres, W. Averell Harriman, jamás hubiera hecho esa consulta al primer ministro inglés. Y, por supuesto, el primer ministro inglés jamás hubiera admitido que el poder estaba en Washington...

Mientras el liderazgo del poder estuvo en Londres, la elite inglesa ejercía su influencia a través de una sociedad secreta denominada "The Group". Esta sociedad secreta se situaba —y se sitúa aún hoy— en la Universidad de Oxford. A medida que el liderazgo iba pasando cada vez más a Estados Unidos, la elite norteamericana —y la inglesa que la seguía y la sigue— ejercía y ejerce su dominio a través de una sociedad secreta cuyo nombre es Skull & Bones (Calavera y Huesos), afincada en la superelitista Universidad de Yale en Connecticut.

La Orden

Esta sociedad secreta, cuyo emblema es una calavera y dos huesos cruzados al estilo de la bandera pirata, existe desde mucho antes que Estados Unidos comenzara a ejercer el liderazgo mundial. Skull & Bones fue fundada en Estados Unidos en el año 1833. Su carácter secreto es abrumador. Sus miembros ni siquiera pueden admitir que pertenecen a Skull & Bones. Sin embargo, George Bush hijo lo ha reconocido en su autobiografía *A charge to keep*[1], como ya hemos mencionado. Cuando a su padre le preguntaron acerca de su pertenencia a esa misma sociedad secreta, mientras era presidente de Estados Unidos en 1990, la única respuesta que obtuvo el periodista fue el silencio. Y no sólo el silencio, Bush padre se retiró abruptamente tras la

---

[1] Recordémoslo textualmente: "*In my senior year (at Yale) I joined Skull & Bones, a secret society, so secret I can't say anything more.*"

pregunta. En realidad Bush padre cumplía con una de las reglas internas de esa sociedad secreta: jamás admitir su pertenencia a Skull & Bones. Puede resultar entonces llamativo que Bush hijo lo haya hecho por escrito y en su autobiografía de 1999. Sin embargo, más adelante daremos alguna explicación de qué es lo que esto puede significar. Volvamos, mientras tanto, a Skull & Bones. Dicha sociedad secreta tiene otros dos nombres: "Brotherhood of Death" (Hermandad de la Muerte) y simplemente "La Orden". Como presumimos que al lector no le va a resultar muy simpático observar cómo ejerce su dominio sobre nosotros una sociedad secreta llamada "Hermandad de la Muerte", de aquí en adelante nos referiremos a ella simplemente como La Orden.

La Orden fue fundada, como hemos dicho, en 1833 como "Chapter" (o sea, "sucursal") de una sociedad secreta alemana. El mayor estudioso sobre La Orden, el economista y periodista Antony Sutton, recientemente fallecido, en su *America's Secret Establishment* logra identificar algunas conexiones importantes entre La Orden y sociedades secretas alemanas. Sin embargo, le faltó el "hilo conductor" que va de La Orden a su antecesora germana, llamada los "Illuminati de Baviera". Ocurre que La Orden fue fundada en 1833 y dicha sociedad secreta alemana habría sido prohibida y destruida por el gobierno de Baviera en 1788, existiendo entonces casi medio siglo de diferencia entre la muerte de una y el nacimiento de la otra. Pero dejaremos este tema también para más adelante.

Diremos que esta sociedad tiene creencias paganas y una filosofía moral pragmática. El pragmatismo moral les induce a pensar que aun el más aberrante hecho puede ser cometido si los fines perseguidos se encuentran más cercanos. Este relativismo ético no debe resultar llamativo, dado que se basa en la idea racista típica de las elites, en el sentido de creerse seres superiores a los demás. La igualdad de derechos, expresada tanto en el cristianismo como en los aparatos jurídicos de una vasta mayoría de países, no sería para la elite anglo-norteamericana más que un espejismo en el cual es necesario que las masas crean, a fin de que su poder no sea disputado. Tan antirreligioso es el pensamiento de los miembros de La Orden, que en sus documentos internos no cuentan el calendario desde el nacimiento de Cristo, sino desde el de Demóstenes, uno de los mayores y mejores oradores que tuvo la Grecia clásica. El rechazo de preceptos morales les permite a los miembros de La Orden actuar con total soltura y falta de escrúpulos ante cualquier obstáculo que se ponga en su camino. La vida y la muerte de millones de personas en sangrientas guerras, revoluciones y epidemias no es para los miembros de La Orden un obstáculo para lograr su cometido, su objetivo final. La globalización es, entonces, un estadio previo, pero muy cercano, al tipo de sociedad que resulta apetecible al paladar de estas aristocracias. Una sociedad compuesta sólo de dos clases sociales: los miembros de la elite, liderados por La Orden, y los demás, las masas, igualados lo más posible, casi indiferenciados. Hemos señalado que la escasez de combustibles fósiles, tema cuya real dimensión aún se mantiene en secreto, impediría por completo un crecimiento global sostenible a ritmo suficiente para mejorar el nivel de vida de la población mundial, y poder igualar los ingresos de las masas "hacia arriba". Por lo tanto, la elite lo va a intentar, seguramente, "hacia abajo". Los recientes sucesos de devaluación, *default*, conversión forzada de deudas y miseria acaecidos en los noventa y a inicios del nuevo milenio en muchos países pueden dar una idea de lo que significa igualar "hacia abajo".

La Orden ha logrado hasta ahora permanecer casi en absoluto secreto. En los primeros 150 años de su existencia en la Universidad de Yale no se escribió ningún libro acerca de la existencia de este grupo minúsculo, y sólo aparecieron dos artículos periodísticos aislados, de los cuales se tenga noticia. El investigador Antony Sutton estaba trabajando acerca de hechos muy llamativos y relacionados con esta sociedad. Había descubierto cómo Wall Street financió la revolución bolchevique y la caída del zarismo en Rusia, y pocos años más tarde estaba financiando nada menos que al peor enemigo del comunismo: a Hitler. No sólo la elite financiaba extremos tan opuestos como a Lenin y Hitler, sino que además les vendía a ambos lo que necesitaban para desarrollarse y convertirse en mortales enemigos entre sí. A Hitler le vendían las materias primas de las cuales Alemania carecía, y además se la ayudaba a desarrollar, como hemos visto, combustible sintético, del que Hitler no disponía. A la Rusia soviética, en cambio, que poseía muy abundantes materias primas, se le vendían armas y tecnología de punta comparable con la alemana y la norteamericana. Ocurre que tras la revolución bolchevique de 1917, Rusia dependía totalmente de la tecnología occidental para subsistir. Esto debe quedar claro. No sólo se le vendían armas, sino también los bienes de capital indispensables para desarrollar todo tipo de actividades. Sin la ayuda de Wall Street, en Rusia no se hubiera podido prender la luz, tomar agua, ni siquiera cocinar... Tal era la escasez de capital y bienes intermedios en el estado preindustrial en el que se hallaba Rusia en 1917.

Sin embargo, no nos ocuparemos aquí de estos temas históricos. Serán tema de un nuevo volumen. Sólo diremos que Sutton estaba más que sorprendido y no encontraba la causa por la cual la elite financiera de Wall Street había financiado a ambos bandos, y colaborado a generar así la Segunda Guerra Mundial. El misterio se acabó para Sutton cuando en 1983 recibe, de miembros anónimos y "arrepentidos" de La Orden, material secreto como para develar el misterio de la financiación simultánea de Wall Street a nazis y comunistas. En 1984, Sutton publica la obra y el misterio comienza a desvanecerse para ir generando uno aún mayor. Lo que había ocurrido habría sido lo siguiente: La Orden fue fundada en la Universidad de Yale[2] por el magnate del opio estadounidense William Russell y por Alfonso Taft, padre de la única persona que fuera a la vez, simultáneamente, presidente de la Nación y presidente de la Suprema Corte de Justicia a inicios del siglo XX. El origen germano de La Orden se debe a que Russell habría estado en la Universidad de Ingolstadt (Baviera) en 1831 y 1832, habiendo tomado allí contacto con una sociedad secreta (los Illuminati). En esa época, en Baviera, Alemania, y en toda Europa, causaban furor las ideas del idealismo alemán. Sus máximas figuras eran Friedrich Wilhelm Georg Hegel y su antecesor Johann Fichte.

[2] Esto puede explicar la sorprendente abundancia de graduados de Yale en la CIA, como ya mencionáramos en el capítulo anterior.

Hegel pensaba que el Estado era absoluto. Reducía al individuo y al individualismo a casi nada. Para Hegel, la libertad individual es sólo un concepto abstracto que el individuo puede alcanzar en tanto y en cuanto éste acepte su total sujeción al Estado y su dependencia de él. Una verdadera libertad individual para Hegel no existe. El Estado sería así omnipresente. Sin embargo, en términos prácticos, y esto lo habrían entendido muy bien y muy rápidamente Russell y los miembros de la elite, el Estado no es más que una ficción, en el sentido de que se trata de un ente abstracto. Alguien debía estar, entonces, atrás del Estado, moviendo los hilos del poder. ¡Quién mejor, según el particular concepto de la elite, que ellos mismos para encargarse de esto! Es necesario tener en cuenta que la elite no era una profunda estudiosa de uno de los filósofos más complicados de entender que se recuerde, Hegel. Al pragmático estilo anglosajón, fueron utilizados ciertos dispositivos, ciertas nociones de la filosofía hegeliana que se consideraron sumamente útiles para desarrollar un muy sofisticado esquema de dominio con motivaciones globales.

No debe resultar extraño que esta clase dominante, como muchas otras en el curso de la historia, haya deseado una hegemonía lo más extensa posible. Un dominio total para estos aristócratas multimillonarios era, como ya lo hemos visto con Cecil Rhodes, un total control del mundo entero. Para ello necesitaban —y siguen necesitando— efectuar cambios en el mundo, los que muchas veces se realizan a través de guerras, revoluciones, levantamientos y actos violentos aparentemente desconectados entre sí. La existencia de variados países, religiones, lenguajes, costumbres, etc., y de vastas zonas del planeta aún ajenas a su dominio efectivo conspiraba contra sus ambiciones. Por lo tanto, ciertos conceptos hegelianos podían aportar una metodología clara, efectiva y ordenada, sin la cual cualquier afán de dominio absoluto, de un Estado mundial, controlado, sería una quimera irrealizable. ¿Cuál sería, entonces, ese método? Pues bien: Hegel creía que la realidad se modificaba perpetuamente a través de un infinito proceso de tesis y antítesis que derivaba en una síntesis, una especie de fusión de elementos tanto de la tesis como de la antítesis, en forma superadora. Debemos aquí citar que el dispositivo dialéctico le podía facilitar a la elite un mecanismo de dominio. Si tan sólo pensamos que tanto el marxismo comunista como el nazismo hitleriano fueron influidos, en buena medida, por la dialéctica y el idealismo de Hegel, queda claro que, en términos de dominio, hay una metodología en común, entre ambos sistemas, que excede sus diferencias.

La elite habría razonado que, si se necesitan cambios sociales para ejercer un poder global, y si sólo pueden ser realizados por un conflicto entre dos facciones antagónicas, opuestas entre sí en un proceso dialéctico de tipo hegeliano, ¿qué mejor entonces que controlar el conflicto? Dicho de otra manera, si se puede influir de manera muy importante en los dos bandos de un mismo conflicto y se puede tener cierta influencia *low profile* en su desarrollo, la elite bien podría entonces predecir, si bien no con exactitud, al menos con bastante precisión el resultado del mismo, y manejar lo más posible la realidad de acuerdo con sus propios intereses. Veamos qué pensaba Sutton, al momento de publicar su obra en 1984:

"En el sistema hegeliano el conflicto es esencial. Para Hegel, y los sistemas basados en Hegel, el Estado es absoluto. El Estado requiere completa obediencia del ciudadano individual. Un individuo no existe por sí mismo en los llamados sistemas orgánicos, sino sólo para cumplir un rol en las operaciones del Estado. Encuentra la existencia sólo en obediencia al Estado. No había libertad en la Alemania de Hitler, ni la hay para el individuo bajo el marxismo. Tampoco la habrá en el Nuevo Orden Mundial. Y si suena como *1984* de George Orwell, es porque lo es."[3]

[3] Invitamos al lector a leer el apartado 2 del capítulo 9 de la novela *1984* de George Orwell titulado "Teoría y Práctica del Colectivismo Oligárquico". Para decodificar correctamente el mensaje donde dice "partido" debe entenderse "corporación". Donde dice "Oceanía", debe entenderse EE.UU., Reino Unido, Australia y Nueva Zelanda. Donde dice "guerra" debe entenderse, muchas veces, "economía moderna", otra forma de guerra.

El eslogan vendría a ser: "Un conflicto controlado produce el resultado deseado". En un mundo con sólo la apariencia de libertad individual, si un reducido grupo de gente muy poderosa maneja desde las sombras al Estado, puede intentar inducir el curso de la historia y lograrlo por un período prolongado. Es posible que algunos sucesos no ocurran como fueron previstos, pero también es posible intentar corregirlos. Por ejemplo, no estaba previsto que el petróleo se acabara tan rápidamente en Estados Unidos. Por eso, a nivel táctico, con gran pragmatismo la elite aplica otro principio conocido en la estrategia militar al menos desde la época del emperador romano Dioclesiano: el de "Acción - Reacción = Solución". Este principio es un mecanismo que se puede usar para generar cambios correctores. ¿Qué postula? Que si uno tiene un problema grave y, como consecuencia de él, debe realizar un acto repudiable por el consenso social (como lo sería, por ejemplo, invadir un país sin causa), entonces nada mejor que provocar un acto que dé vuelta por completo a la opinión pública. De esta forma, se encuentra una solución al problema. El lector podrá decir que se trata de jugar al ajedrez con uno mismo, en el que un único jugador mueve las piezas de ambos bandos. Pues bien, el ajedrez se había inventado en Oriente, ¿pero no fueron los británicos quienes implantaron la costumbre de jugar con uno mismo? Ahora estamos en condiciones de entender bastante más el carácter y la intención de omnipotencia de La Orden: ocurre que a veces, para conservar y acrecentar el poder, resulta necesario llevar a cabo actos despreciables.

Las nociones sobre la filosofía hegeliana no fueron absorbidas por casualidad. Los lazos entre La Orden y las universidades de Berlín e Ingolstadt no se han limitado sólo a la presencia del fundador de Skull & Bones en Alemania en 1831 y 1832. Hacia mediados del siglo XIX, tres miembros de la más rancia aristocracia norteamericana viajaron a Alemania para recibir adoctrinamiento en políticas educativas. A su vuelta, ocuparon las presidencias de las tres universidades estratégicas más importantes de Estados Unidos: Yale, Cornell y Johns Hopkins. Fue por esa época cuando miembros de La Orden fundaron nada menos que la American Historical Association y la American Economics Association, y ejercieron su influencia en institutos superiores incluso hasta de teología. La fundación de estas academias no es un dato menor, dado que mediante ellas se propugnó y se obtuvo la posibilidad de que existiera una única "historia oficial" y "doctrina económica oficial", de manera tal que la historia aparezca hoy como una sucesión de hechos casuales y caóticos producidos por fuerzas no conectadas entre sí. De esta manera, las guerras mundiales, el asesinato de Kennedy, el *affaire* Watergate y las guerras del Golfo son para la "historia oficial" sucesos aislados y desconectados. Del mismo modo, en la academia de economía fundada por La Orden se eleva un altar al libre mercado y al individualismo, generando en la población el espejismo de que el "sueño americano" es posible, y de que cualquiera, compitiendo con los demás (nunca colaborando con la competencia), puede transformarse en un magnate. Por supuesto, la realidad es bien diferente: detrás de bambalinas los negocios están oligopolizados a un extremo desconocido por el gran público, y a veces hasta por los propios entendidos.

En cierto sentido, este dominio de un muy vasto aparato productivo por parte de un muy pequeño grupo de personas por parte de La Orden fue favorecido por una antigua práctica británica que el historiador Lawrence Stone explica minuciosamente en su obra *Open elite: England 1540-1880*. Se trata de la celebración limitada de matrimonios entre miembros de la propia aristocracia "sangre azul" (en el caso de EE.UU., entre familias de colonos llegadas en el siglo XVII) con varias de las familias de "nuevos ricos" (en el caso de EE.UU. se gestaron en el siglo XIX). Es así que, según Sutton, confluyen en La Orden clanes familiares popularmente conocidos en Estados Unidos y multimillonarios como los Rockefeller, los Harriman, los Davison (herederos en parte del clan Morgan y fusionados en buena medida con los Rockefeller), los Sloane (ventas minoristas), los Pillsbury (industria alimenticia), los Paine y los Weyerhauser, con clanes cuyo apellido puede no despertar ningún recuerdo al lector, pero que resultan de la más rancia aristocracia norteamericana y poseen enormes dosis de poder: los Whitney, Perkins, Stimson, Taft, Phelps, Bundy, Lord, Wadsworth, Vanderbilt y Gilman. Todos ellos miembros de La Orden durante generaciones enteras.

Antes de comenzar el año durante el cual se gradúan los

estudiantes de Yale, los quince (ni uno más, ni uno menos) miembros de La Orden recién graduados eligen "a dedo" quince miembros entre quienes los reemplazarán en el último año universitario. La Orden no es una fraternidad estudiantil más. La actividad de La Orden está bien alejada de las actividades estudiantiles de las fraternidades. De hecho, en Yale hay otras dos fraternidades. Se trata de una sociedad secreta con fines claramente pos-universitarios. Los miembros de La Orden permanecen en ella en forma vitalicia. Todo el tiempo hay entre 500 y 600 miembros vivos, de los cuales muchos se alejan de esta estructura de poder y no toman parte en las deliberaciones ni en las decisiones. Sólo un reducido núcleo decide la agenda del CFR. La Orden también maneja grandes fundaciones como la Fundación Ford y la Fundación Carnegie. Los herederos del apellido de esas fortunas familiares poco pueden hacer para evitar el manejo por parte de miembros de La Orden de una buena porción de sus fortunas, los intereses corporativos y las fundaciones que dejaron sus ancestros. Sutton señala, por ejemplo, que discusiones de miembros de La Orden y miembros de la familia Ford acerca del manejo de la Fundación Ford provocaron la renuncia... de los miembros de la familia Ford.

Esta enorme máquina de poder, mezcla de aristocracia y alta burguesía, que es La Orden, habría actuado de manera determinante en la división práctica de los términos de "izquierda" y "derecha", división que muchas veces le ha sido funcional para intervenir y hasta promover conflictos a través de los cuales se obtienen los resultados hegemónicos que La Orden considera que, por aproximaciones sucesivas, se van acercando cada vez más a su objetivo de dominio global. Esto puede explicar, por ejemplo, por qué el dinero de fundaciones "de derecha", como la Fundación Ford, se canaliza en gran medida a sectores de la prensa "de izquierda".

Al igual que en el seno del CFR, en el que existen voces minoritarias que a veces se oponen a las líneas predeterminadas de acción elegidas, la elite siempre debe tener a mano líneas de acción alternativas, casi diametralmente opuestas a las elegidas, para utilizar en el caso de que algo funcione mal. Recordemos cómo el precandidato demócrata que más fondos había juntado pasada la mitad de 2003, el ex gobernador de Vermont, Howard Dean, quien se había expresado públicamente contra la guerra en Irak (pero quería más presión con Irán y Arabia Saudita), logró reunirlos tras hablar el 23 de junio de 2003 en el CFR. Como ello le abrió las puertas en la prensa (su cara fue tapa casi simultánea en *Time*, *Newsweek* y *US News and World Report*). ¿De dónde viene Dean? Pues bien, se graduó en 1971 en... Yale.[4]

Volviendo a La Orden, para hacer posible este monumental esquema de poder, la elite percibió muy pronto que resultaba imprescindible contar como aliado al aparato educativo norteamericano. Por eso, desde mediados del siglo XIX, fueron importadas a Estados Unidos teorías psicológicas y educativas alemanas. La educación norteamericana se basa en la teoría de que el individuo debe ser educado para cumplir un rol, como si fuera un engranaje más, en el aparato social. Esta especial forma de educación, importada de Alemania, se realiza en Estados Unidos desde las primeras etapas de la escuela primaria. Sutton incluso muestra en su obra cómo a los niños norteamericanos se les enseña a leer mediante métodos que tornan más difícil —y no más fácil— la comprensión. No se trata de un error, sino de una política deliberada: la prioridad no es que el pueblo norteamericano se informe y acceda al conocimiento a través de la lectura. Mucho menos aún, en la actual era de la televisión. La gran multiplicidad de versiones de la historia a las que se podía acceder en libros, periódicos, etc., cuando la televisión no existía, chocaba de frente con la aspiración a un "Estado absoluto" que pudiera proporcionar a la elite un inmejorable control de las masas. Es debido a esta singular educación que desde la escuela

[4] Aunque la pertenencia de Howard Dean a La Orden aún no fue determinada, sí habría sido comprobada la de una especie de precandidato "muletto" del Partido Demócrata: el senador John Kerry es graduado de Yale y miembro de La Orden. (Recordar que el general Wesley Clark es también miembro del CFR.) Pero aún cuando no se sepa si Dean pertenece o no a Skull and Bones, sí se sabe que aplica sus mismas prácticas de secreto. Poco antes de dejar la gobernación de Vermont firmó un decreto para mantener en secreto por diez años toda la información reservada de su gobernación.

primaria se realiza en Estados Unidos, se facilita la manipulación de la opinión pública norteamericana, en contraposición a la europea o la latinoamericana, donde el grado de desconfianza y aprehensión a los Estados Unidos es mucho mayor.

Según Sutton, existen dos universidades que actúan como "ventiladores" de las políticas educativas que se elaboran al paladar de la elite en Yale, Cornell y Johns Hopkins. Esas universidades son nada menos que la Universidad de Chicago y la Universidad de Columbia. No llama la atención, entonces, que la Universidad de Columbia posea, por sí sola, más del 1% de todos los miembros del CFR, y que la Universidad de Chicago, fundada por John Rockefeller I, haya creado, financiado y publicitado en todo el ambiente universitario norteamericano y mundial las teorías de Milton Friedman y Robert Lucas. En Chicago se desarrollaron esas teorías —como señalamos en el primer capítulo— con el fin de facilitar el debilitamiento de los Estados, para lo cual, de paso, resultaba muy útil "tapar" descubrimientos como los de Nash y Lipsey, y poder "resucitar" la ideología neoliberal del individualismo y el *laissez-faire* absoluto, la cual diseminada en la población convenientemente permite generar en las sociedades una falsa idea de libertad, democracia y capitalismo competitivo. Esta idea de que el "sueño americano" es posible mediante la libertad individual y la supuesta presencia de la libre competencia provoca que la gente no se pregunte cuestiones como las que hemos visto en este volumen. Obviamente, se trata de un espejismo. A la elite le apetece la concentración del poder económico en unas pocas manos: las suyas. No quiere problemas. Cuanto menos enterada esté la gente acerca de esto, mucho mejor para la elite. Después de todo, para una filosofía de vida racista, para una concepción social basada en castas, la existencia, la vida y la muerte de enormes cantidades de personas es considerada como una cuestión menor, dado que se trataría de seres de inferior nivel.

Si recordamos que la visión de esta clase dominante está teñida de malthusianismo y darwinismo, se entiende claramente que si hay algo que a sus ojos en el mundo sobra, eso es precisamente gente (sobre todo si se tiene en cuenta la muy delicada situación energética comentada en el segundo capítulo). Los reducidos sectores ultrapoderosos que representan Bush y Blair saben muy bien que el pensamiento individualista, cuando se trata de un equipo (y toda la sociedad lo es), conduce a la ley de la selva y al debilitamiento progresivo de los más desamparados. La elite sabe también muy bien que, para optimizar los beneficios tanto individuales como grupales, no deben aplicarse las tesis individualistas de Adam Smith sino las de John Nash y Lipsey.

Más aún: La Orden y la elite funcionan "a lo Nash". O sea, colaborando entre sí y postergando en el corto plazo algunos objetivos individualistas con el fin de beneficiar al grupo en su conjunto[5], lo que a la postre también resultará en beneficios personales superiores. "Hoy por ti, mañana por mí", podría decirse que es la máxima, tanto de Nash como de La Orden.

El Origen de La Orden

Hemos dicho que provendría de una sociedad secreta alemana, según descubrieron en algunos documentos unos alumnos curiosos de Yale que, ante el exagerado secretismo de algunos de sus compañeros de Skull & Bones, decidieron irrumpir en la sede de La Orden (llamada "la Tumba") en el año 1877, y descubrieron papeles que certificaban esa conexión. Sutton alcanzó hacia el final de su obra casi póstuma[6] a especular que el origen de La Orden no sería otro que el de la logia de los

[5] Un claro ejemplo: la elección que Bush padre, prominente miembro de La Orden, perdió con Clinton a fines de 1992 facilitó la agenda globalista al poder "taparse" en forma conveniente los escándalos del BCCI, Irán-Contras, invasión a Irak, entre otros, encarados por Bush padre.

[6] Con posterioridad a su investigación sobre Skull and Bones, Sutton sólo publicó una corta obra. Se intitulaba *The Two Faces of George Bush*. Sutton vivió aún quince años más hasta su deceso en 2002, pero prácticamente nada dejó publicado en esos años.

Illuminati, sociedad secreta establecida en Baviera en 1776 por un oscuro ex clérigo jesuita llamado Adam Weishaupt. Esta logia habría sido fundada con el objetivo supuesto de intercambiar ideas para el mejoramiento de la situación social en el mundo. Sin embargo, a poco de andar, se demostró que tenía otros objetivos reales, y que aquello resultaba sólo una fachada. El nombre Illuminati proviene de la creencia, por parte de los integrantes de este grupo, de que cualquier acto, aun el más cruel, no resulta malo si quien lo realiza se encuentra en un rapto de iluminación mística. Weishaupt, a pedido y con financiamiento del fundador de la dinastía Rothschild, Meyer Amschel Bauer, habría fundado esa logia con el fin, obviamente quimérico en aquella época, de dominar al mundo entero. Rothschild se habría aprovechado en aquel momento de cierta debilidad y endeudamiento que tenían muchas logias masónicas para fundar una ultrapoderosa logia propia que liderara a las demás, y habría influido sobre Weishaupt para que insertara a los Illuminati dentro de la masonería. Un dato clave es que Weishaupt se inició en la masonería en 1777, apenas fundada la logia de los Illuminati. De esta manera, la casa Rothschild se habría hecho en un muy corto lapso con una vasta red secreta de contactos a nivel mundial de gente juramentada para ayudarse mutuamente. Ésta es una característica propia de la masonería, una sociedad secreta, o una sociedad con secretos —tal como les gusta denominarse a sí mismos a los masones—. A los fines prácticos da lo mismo. Se trata de una cadena secreta de gente poderosa organizada de modo vertical y de carácter supranacional. El debate acerca de cuán secreta es la masonería puede llegar a tratarse incluso sólo de un juego de palabras. La realidad es la misma.

Es muy probable que una enorme proporción de quienes forman parte de la masonería, incluso en sus estamentos más altos, no tengan ni la menor idea de muchas de estas cuestiones. Se puede ingresar a estas sociedades secretas por ambiciones personales y por altruistas fines sociales. Sin embargo, resulta muy necesario recalcar que cuando se es miembro de una sociedad secreta o de una sociedad con secretos, nunca se puede saber a qué fines uno está sirviendo. El secretismo suele invadir también a la cúpula de poder dentro de las sociedades secretas. Por más confianza y seguridad que se pueda tener en quienes ocupan puestos inmediatamente superiores, debe pensarse que sólo una muy reducida elite de este tipo de sociedades sabe y conoce la real agenda de acción futura, los objetivos finales y los sucesos que será necesario realizar indefectiblemente. Es muy probable que en la masonería de muchísimos países, por resultar apenas lejanas "sucursales" de los reales centros de poder de las sociedades secretas, nadie, absolutamente nadie, ni aun quienes ocupan sus cargos más altos, estén verdaderamente al tanto de lo que se planea y se está haciendo. Incluso en EE.UU. e Inglaterra, una vasta mayoría de masones seguramente tampoco tiene conocimiento de todo esto.

Las sociedades masónicas norteamericanas admiten contar entre sus miembros nada menos que con 15 de los 43 presidentes que tuvo Estados Unidos. Y ello sin tener en cuenta, por ejemplo, que los dos Bush pertenecen a otra sociedad secreta (La Orden), que Clinton también habría sido y es miembro de una sociedad secreta (De Molay, y en su estadía en Oxford con una beca Rhodes podría también haber tomado contacto con gente de The Group), que el ex presidente Lyndon Johnson se habría iniciado entre los cuadros de esta red de sociedades secretas, pero no habría llegado muy lejos, que Nixon habría sido miembro (pero a raíz de Watergate sería un "papelón" reconocerlo), y que Reagan habría sido incluido una vez nombrado presidente.

Sin embargo, hay un "eslabón perdido" en esta cadena: si los Illuminati fueron perseguidos hacia 1784 y teóricamente eliminados hacia 1788[7], y por otro lado La Orden nace recién en 1833, ¿cuál es la conexión entre ambos? Alguna organización debió ocupar ese período de años como usina de ideas iluministas. Aparentemente, fue Phi Beta Kappa. En *Secret societies of all ages and countries*, de Charles Heckethorn, publicado en 1875, se lee lo

---

[7] El gobierno de Baviera de aquella época los persiguió por su carácter violento, inescrupuloso, y sus ambiciones de poder global.

siguiente acerca de la red de fraternidades Phi Beta Kappa, que antes mencionamos, y que hoy cuenta con más de 200 sucursales en universidades norteamericanas:

"Phi Beta Kappa, la sociedad a través de la cual los Illuminati de Baviera se habrían expandido a Estados Unidos. Sólo se admiten estudiantes universitarios a esta orden. La clave de acceso es 'la filosofía, no la religión, es la base de la acción'. O sea, la filosofía es la guía o la regla de la vida."

Phi Beta Kappa, al igual que los Illuminati de Baviera, fue fundada en el año 1776. Una buena parte de sus miembros participó en la revolución por la independencia de Estados Unidos. Sus miembros son elegidos "a dedo" en las principales doscientas universidades norteamericanas. Pero hacia fines de los años 1820, hubo en Estados Unidos una fuerte presión social para que las sociedades secretas salieran a la luz. La presión fue tal que obligó a Phi Beta Kappa a hacerse pública, y a decir quiénes eran sus miembros hacia 1830. Ése es entonces el motivo por el cual William Russell habría viajado a Baviera en 1831. Habría sido necesario fundar una nueva sociedad secreta para reemplazar a Phi Beta Kappa, la cual seguiría funcionando pero no ya como usina y generadora de la idea básica de los Illuminati: detentar el poder en todo el mundo. Habría sido de esta manera que la salida a la luz de Phi Beta Kappa habría creado la necesidad de formar Skull & Bones.

Podemos hacer una suposición, entonces, de por qué George W. Bush en su autobiografía infringe la principal regla de toda sociedad secreta: mantener el secretismo. Es posible que a partir del año 1984 —cuando a raíz de los descubrimientos de Sutton, basados en "arrepentidos", se descubre la existencia del verdadero poder en las sombras: La Orden— haya habido una tendencia de la elite a abrir relativamente sus puertas y trasladar lo que es necesario esconder, el manejo real del poder, a otra sociedad secreta, en algún otro lugar. Hoy, por ejemplo, cualquier miembro de Phi Beta Kappa puede expresar libremente que lo es. No debería extrañar que en sólo unos años los miem-

216

bros de Skull & Bones también lo hagan. Existiría de todas maneras otra organización secreta que "tome la posta". Quizá por eso últimamente La Orden habría admitido algunos miembros de raza negra, algunos judíos y algunas mujeres entre sus miembros...

Curiosa situación, entonces: el mismo clan —los Rothschild— que financió el desarrollo y el crecimiento de Estados Unidos, generando de la nada a los Rockefeller, Harriman, JP Morgan, y que habría ayudado a crear los grandes bancos centrales occidentales, serían los fundadores de la logia de los Illuminati que a su vez se habría instalado en Estados Unidos primero con Phi Beta Kappa y luego con Skull & Bones. Los Rothschild han sido los grandes financistas de la corona británica y de la aristocracia inglesa. Más que nunca, Estados Unidos y el Reino Unido parecen trabajar, entonces, unidos con fines compartidos. Sus aristocracias y sus burguesías están estremezcladas entre sí, pero aisladas completamente del resto de la población.

Hemos visto la influencia de una poderosa sociedad secreta con origen alemán en Estados Unidos e Inglaterra. No hemos dicho nada sobre la influencia de sociedades secretas y el ocultismo en quizás uno de los mayores proyectos imperiales de la historia: el de Hitler. Si el real poder actual se maneja entre bambalinas en una sociedad secreta cuyo origen, al menos filosóficamente, sería alemán, ¿habrá tenido el Tercer Reich, asociado financiera y comercialmente a la misma elite, sus orígenes en una sociedad secreta alemana?

Thule Gemeinschaft

No es el objetivo de esta obra extendernos demasiado en consideraciones históricas, que desarrollaremos mejor y ampliamente en un próximo volumen. Sin embargo, citaremos el caso de la sociedad Thule, a fin de que quede claro el grado de peligrosidad que suelen tener las sociedades secretas y, sobre todo, las conexiones muchas veces ocultas que hay entre ellas. La sociedad secreta Thule[8] nació en 1919 en el sur de Alemania. Más concretamente en Baviera, en la misma pequeña zona geográfica en la que nacieron los Illuminati en 1776, para pasar al anonimato y al secretismo total, una década más tarde.

Ocurre que en Alemania, a raíz del desastre que le provocó la derrota de la Primera Guerra Mundial, había terreno fértil para la generación y expansión de ideas nacionalistas, socialistas y muchas veces racistas. Buena parte de estas ideas se canalizaron a través de sociedades secretas con objetivos políticos. Thule era la más importante de todas estas sociedades de entreguerras. En las reuniones secretas de esta sociedad se juntaban intelectuales y poderosos empresarios alemanes que deseaban cambiar la historia de su país. Necesitaban imperiosamente un líder. Por eso, a inicios de los años '20, al ver las extraordinarias dotes de oratoria de Hitler y el poder hipnótico que poseía cuando éste se comunicaba con los pequeños grupos del DAP (Partido Alemán de los Trabajadores), no dudaron en brindarle todo su apoyo y en ayudarle a escalar posiciones en la política. Hitler, si bien sentía cierta curiosidad por el ocultismo, nunca habría sido miembro de una sociedad secreta. Sin embargo, entre sus más inmediatos seguidores proliferaban miembros de este tipo de asociaciones. Citaremos, entre ellos, nada menos que a Rudolf Hess (el número dos de Hitler), Wilhelm Frick (ministro de Economía del Tercer Reich), Alfred Rosenberg (ideólogo y filósofo del partido nazi), Hans Frank (gobernador general de Polonia), Karl Haushofer (principal geopolítico y estratego militar alemán), Anton Drexler (jefe máximo del DAP, partido antecesor directo del partido nazi NSDAP) y muy especialmente, aunque no en Thule sino en otra sociedad secreta, nada menos que Heinrich Himmler (máximo jerarca de la siniestra SS). Como se puede ver, Hitler no sólo

[8] Con el nombre Thule se designaba en Alemania a una mítica zona del Ártico, similar a la legendaria Atlántida, en la cual habrían morado hombres gigantes de raza aria. Es llamativo el hecho de que en muchas sociedades secretas este tipo de mitos irreales proliferan. En muchas sociedades masónicas escocesas e inglesas se hace referencia a la mítica historia del rey Arturo, monarca que cumpliría un rol muy similar en el territorio de la leyenda a los gigantes de Thule.

estaba rodeado de miembros de sociedades secretas, sino que en buena medida debía su ascenso al poder a la actividad incansable de muchos de estos miembros, para que su NSDAP (Partido Nacionalsocialista Alemán de los Trabajadores, derivado del DAP) accediera al poder. Si alguien duda acerca de la influencia de las sociedades secretas en el ascenso del nazismo en Alemania, quizá le baste con saber que hasta la propia cruz esvástica, símbolo elegido por Hitler en persona para representar su esquema político, era desde 1919 el símbolo elegido por la sociedad Thule en sus logotipos, como lo demuestra abundante material existente. La cruz esvástica era un muy antiguo símbolo de la India, donde se habría originado la raza aria hace milenios, pero no se había usado como símbolo en forma importante en Alemania. Fue la sociedad secreta Thule la que la comenzó a utilizar.

La financiación de banqueros estadounidenses, y socios de estadounidenses (como Von Tyssen), y el apoyo de los miembros de sociedades secretas alemanas fueron determinantes para el ascenso de Hitler. Éste ocupó el puesto de canciller del Reich en 1933, año en el que finaliza todo vestigio de sistema democrático en Alemania. Si bien Hitler pudo borrar "de un plumazo" la democracia, no tuvo la misma suerte con las sociedades secretas que, si bien le habían dado gran impulso, podían disputarle buena parte del poder. En 1935 promulga duras leyes con el fin de disolverlas. Fracasa. Dos años más tarde intenta con una legislación aún más dura contra las sociedades secretas. No sólo vuelve a fracasar sino que, a raíz de la persistencia de las sociedades secretas, pasa su primer gran "papelón" internacional, hecho que marcó simbólicamente el inicio de la caída del Tercer Reich en 1942.[9]

¿Qué había ocurrido? En mayo de 1941 su segundo, Rudolf Hess, que aparentemente era un fanático del ocultismo, toma un avión y vuela hacia las tierras del enemigo. Aterriza en Escocia en

---

[9] El atentado de 1944 que casi mata a Hitler también habría sido planeado al menos en parte por una sociedad secreta llamada "Secret Germany". Von Stauffenberg, quien estuvo muy cerca de matar a Hitler, era uno de sus miembros más importantes. El ideólogo de "Secret Germany" era el escritor Stefan George.

busca del duque de Hamilton, con el fin de intentar una paz por separado con Inglaterra. La furia de Hitler contra Hess habría llegado en aquellos días a compararse con la que sentía por el pueblo judío. La explicación oficial que dio el Tercer Reich sobre el episodio fue que uno de los miembros de la sociedad secreta había tenido un sueño premonitorio, cuya interpretación esotérica habría señalado la conveniencia de ese vuelo, del cual otros jerarcas nazis estaban sorprendentemente al tanto. Esta explicación dio pie a Hitler para intentar por tercera vez no sólo la supresión de las sociedades secretas, sino de toda forma de ocultismo (incluidas prácticas como la astrología, el tarot, etc.). Hoy, muchos años más tarde, tenemos una versión bastante más ajustada de la verdad de lo que ocurrió aquella vez. Según Richard Deacon, en *A history of the British secret service*, el vuelo de Hess no fue otra cosa que una exitosa operación, una emboscada del espionaje inglés para debilitar al régimen nazi en medio de la guerra. Sin embargo, quedaría aún pendiente la cuestión de cómo un jerarca nazi del tamaño de Hess se dejó embaucar tan fácilmente. La explicación es más sencilla de lo que parece: miembros suizos y portugueses de la sociedad secreta Golden Dawn, a la que también pertenecerían miembros de la sociedad Thule, habrían convencido a algunos miembros de esta última que deseaban la paz por separado con Inglaterra[10], de que la misma era factible si Hess viajaba. Como el hecho de pertenecer a una sociedad secreta "amiga" es, para muchos de los miembros de este tipo de asociaciones, una especie de certificado de buena conducta, en forma ciega, en poco tiempo se preparó en sigilo y a espaldas del propio Hitler el viaje de Hess.

Inglaterra (especialmente Churchill, miembro de otra sociedad secreta partidaria de la mundialización del imperio británico) no deseaba la paz con Alemania sino simplemente debilitar al enemigo. Pocos meses después de este episodio comienzan

[10] Las dos causas para buscar la paz por separado con Inglaterra eran: en primer lugar, hacer más factible una victoria contra la Unión Soviética. En segundo lugar, la creencia de muchas sociedades secretas alemanas y anglosajonas en la superioridad de la raza aria, de la cual descienden tanto alemanes como anglosajones.

las primeras grandes derrotas de Hitler en los campos bélicos. En forma un tanto graciosa debido a la anterior prohibición, y quizá por la debilidad de una mente un tanto supersticiosa, el propio Hitler decide hacerse partidario bastante ferviente de consultar al astrólogo Eric Hanussen, quien efectuaba sesiones de espiritismo acerca del futuro del Tercer Reich. Obviamente, si no se tratara de Hitler, ya nos estaríamos riendo todos. Sin embargo, el episodio no es una anécdota sino que marca cómo las sociedades secretas pueden encumbrar aun al personaje más tiránico, cómo pueden escapar a las prohibiciones expresas de un líder como Hitler, e incluso cómo pueden llegar a convencer al número dos de un personaje como Hitler para realizar una operación tan descabellada y a sus espaldas, lo que convirtió durante un tiempo al propio Führer en un hazmerreír. El viaje le costaría a la postre a Hess prisión por el resto de sus días: nada más y nada menos que casi 50 años[11].

Además de este episodio, existe un hecho que es casi una constante con referencia a las sociedades secretas: sus lazos con el espionaje. No debe llamar la atención de que George Bush padre haya sido a la vez miembro de Skull & Bones y luego director de la CIA. Prácticamente todos los directores de la CIA fueron antes conspicuos miembros de sociedades secretas.

Obviamente, la peligrosidad de las sociedades secretas se basa en que el sigilo les confiere una ventaja muy grande con respecto de las sociedades abiertas y democráticas. El secretismo les da a sus miembros la posibilidad de actuar sin que otros lo sepan; elimina las pruebas. Además, si existen las sociedades secretas es porque existen objetivos secretos. Si estos objetivos secretos fueran compatibles con el ideario de las democracias, no tendrían por qué ser secretos. No sólo las socieda-

---

[11] En la prisión de máxima seguridad de Spandau, en Alemania, hubo por muchísimos años un único prisionero: Rudolf Hess. La fortaleza-prisión estaba custodiada a la vez por destacamentos especiales de las tropas británicas, norteamericanas, francesas y rusas. Las autoridades militares estaban esperando la muerte del único prisionero para poder cerrar la prisión y reducir el presupuesto. Hess les facilitó las cosas, ya nonagenario, al suicidarse.

des secretas poseen objetivos secretos, sino también medios de acción ilegales y muchas veces criminales. Las sociedades secretas poseen códigos muy similares a los de la mafia. Más aún, la propia mafia no es otra cosa que una sociedad secreta[12]. Si cada vez que escucháramos la expresión "sociedad secreta", sea de la índole que fuere, la asociáramos en forma directa con la expresión "grupo-mafia", es posible que nuestra indignación fuera tal que impidiera al menos una buena parte de la actividad de estos grupos. Quizás el mundo se habría evitado buena parte de las crisis generadas y prolongadas muchas veces un tanto artificialmente con el fin de mantener y acrecentar el poder por parte de estas sociedades.

---

[12] La palabra mafia provendría de mediados del siglo XIX y sería la sigla de la frase *Mazzini Autoriza Furti, Incendi, Avelenamenti*. O sea, "Mazzini autoriza robos, incendios y envenenamientos". La mafia se habría iniciado como tal, según *Secret societies of all ages and countries* de Heckethorn, a partir de una asociación de indigentes sicilianos que, bajo la tutela de Mazzini, comenzaron a organizarse y a producir actividades criminales bajo la protección de la flota británica.

BIBLIOGRAFÍA

LIBROS:

SUTTON, Antony: *America's secret establishment. An introduction to the order of Skull & Bones* (obra especialmente recomendada). TrineDay. Primera edición, 1984. Reimpresión, 2002.

DEACON, Richard: *A history of the British secret service.* Taplinger Publishing Company, 1969.

HECKETHORN, Charles William: *Secret societies of all ages and countries.* Kessinger Publishing's Rare Mystical Reprints, 1896.

QUIGLEY, Carroll: *The anglo-american establishment.*

DE PONCINS, L.: *Les forces secrètes de la Révolution*. Éditions Bossard, 1928.

MONTEITH, Stanley: *Brotherhood of darkness*. Hearthstone Publishing, 2000.

STILL, William: *New World Order: the ancient plan of secret societies*. Huntington House Publishers, 1990.

GOODRICK-CLARKE, Nicholas: *Black sun. Aryan cults, esoteric nazism and the politics of identity*. New York Press University, 2002.

GOODRICK-CLARKE, Nicholas: *The occult roots of nazism. Secret Aryan cults and their influence on Nazi ideology*. New York Press University, 1985.

VON LIST, Guido: *The secret of the runes*. Destiny Books, 1988.

LEVENDA, Peter: *Unholy alliance. A history of Nazi involvement with the occult*. The Continuum International Publishing Group, 2002.

WARDNER, James: *The planned destruction of America*. Longwood Communications, 1994.

INTERNET:

BOISDRON, Matthieu: "Le IIIᵉ Reich et l'ésotérisme". L'histoire dans tous ses états! *www.cronicus.com*, 09/09/03.

ZOLLER, Regina: "¿Nacionalsocialismo y ocultismo? La sociedad Thule". *www.relinfo.ch/thule/info.html*, 1994.

Palabras finales

La Bomba de Tiempo de Wall Street

> *Quien controle el pasado,*
> *controla el futuro. Quien controle*
> *el presente, controla el pasado.*
>
> George Orwell en *1984*.

Supongo que el lector puede estar, en este punto, con un cierto desasosiego. Sin embargo, sugiero no desesperar, ni pensar que el cuadro de situación descripto a lo largo de esta obra no tiene remedio. Aunque pueda ser cierto que algún mal dure cien años, es improbable que dure doscientos.

Ocurre que el sutil andamiaje de dominio que la elite contribuyó a generar y perfeccionar a través de mucho tiempo dista de ser un mecanismo inexpugnable. El mismo se basa, sobre todo, en la forma en que los negocios se realizan en Wall Street y el mundo financiero en general. Y como muchos hechos recientes lo demuestran, Wall Street está lejos, muy lejos, de proporcionar sueños tranquilizadores para la elite.

Es necesario explicar esto. El esquema de dominio se basa principalmente en poder dominar un extenso abanico de negocios (petróleo, armas, laboratorios, educación, información, banca, etc.) en una vasta gama de países del mundo. Para controlar esos negocios estratégicamente centrales, fue necesario, entre otras cosas, idear e implementar mecanismos financieros por medio de los cuales un reducido grupo de personas puede controlar la política empresarial de una gran cantidad de firmas de esos sectores. Un muy reducido grupo de personas maneja entonces esos sectores. Pero lo hace administrando el dinero de otras muchísimas —millones y millones— de personas que han invertido sus ahorros en los mercados financieros. El mecanismo ha funcionado aceptablemente bien en tanto y en cuanto los mercados han respondido favorablemente: o sea, subiendo.

Pero el mecanismo entra en contradicción interna apenas los mercados, lejos de subir, bajan. A inicios de este milenio, el escándalo de Enron y otras tantas megaempresas bastan como una simple muestra de cómo el control puede escapar fácilmente de las manos de los pocos que lo detentan. Ocurre que cuando los mercados bajan muchas empresas que no fueron manejadas de manera pulcra ven cortado su acceso a más endeudamiento, al mismo tiempo que les resulta poco menos que imposible hacerse de más capital mediante colocación de acciones en los mercados. Cuando ese momento llega, ya no hay margen de acción para administrar las empresas , y por lo tanto el poder, *a piacere*. Como bien reza el refrán popular, "la necesidad tiene cara de hereje". Y en momentos de necesidad, los "pactos", secretos o no, entre empresas y entre empresarios no pueden sobrevivir mucho tiempo.

Aun cuando al momento de escribir esto, en septiembre de 2003, todavía no han acontecido episodios de una gravedad que puedan hacer pronosticar un final cierto para los mecanismos globalizadores que han esclavizado a una enorme cantidad de personas en una vasta cantidad de países, algunos episodios pronostican, desde hace algunos años, que se avecinan problemas poco menos que insolubles para la elite.

Y no sólo el escándalo de la Enron, que motivó la sorprendente ley Sarbanes-Oxley, tras la cual los directores de empresas deben jurar que los balances de las mismas son correctos. Un balance es un balance. ¿Por qué hay que creer en juramentos, si no se puede creer en un balance? Con mecanismos artificiales como éstos se logró en 2002 evitar una crisis bursátil en Wall Street de proporciones como hace más de medio siglo no se veía.

Pero los espejismos, y menos cuando se trata de dinero, no duran para siempre.

Las contradicciones han invadido también en forma muy palpable terrenos en los que antes eran no sólo infrecuentes sino casi inconcebibles. Sin ir más lejos, cuando George Bush hijo declaró la guerra a Irak, tuvo que bajar los impuestos a los dividendos accionarios a la mitad, a fin de evitar un pánico en Wall Street. Se trata de la primera vez en la historia que un presidente norteamericano debe bajar impuestos al mismo momento en que inicia una guerra. Todo un contrasentido. Mayor aún si se tiene en cuenta que la situación fiscal en EE.UU. ya era claramente deficitaria a inicios de 2003.

Las contradicciones alcanzan niveles incluso sorprendentes cuando EE.UU. solicita, periódicamente, incluso en reuniones del FMI o del G7, una mayor valoración de las monedas de los países asiáticos. Es comprensible que EE.UU. intente reducir el abultado déficit de balanza de pagos que posee. Es una espada de Damocles siempre pendiente para el dólar y la economía de EE.UU. Sin embargo, vale recordar que si las cosas no se han descarrilado por completo en la economía norteamericana, ha sido gracias a que países como Japón y China, principalmente, han comprado grandes cantidades de títulos de deuda de EE.UU. con el producto de sus superávits comerciales con el Tío Sam. Vale entonces recordar el viejo refrán: "Sólo hay algo peor a que tus deseos no se cumplan: que logres que se cumplan". Aliviar la situación de balanza de pagos de EE.UU. implicaría la necesidad de dejar sin financiamiento no sólo a su Estado, sino también a muchas de las principales empresas norteamericanas.

Las contradicciones, como se ve, están a la orden del día, y son cada vez más perceptibles a simple vista. Y no se trata de contradicciones secundarias: sino en la propia base del sistema económico norteamericano, ideado casi a la medida de la elite empresarial anglo-norteamericana. Si estas contradicciones no se solucionan, será harto dificultoso evitar una crisis medular. El grave inconveniente es que los problemas tienen solución. Las contradicciones no. Tienen otro tipo de salida...

No es difícil imaginar entonces, a raíz de los problemas económicos y financieros que se van acumulando a ritmo cada vez más veloz, el comienzo de la era de la desglobalización. Probablemente se trate de un mundo en el que, al empuje de recesiones económicas, los países intenten exportar unos a otros, renazcan barreras comerciales, regulaciones y controles al movimiento de divisas y capitales. Como se ve, algo bastante alejado del Nuevo Orden Mundial deseado por la elite. Obviamente, a ese punto no se llega por un camino de éxitos económicos sino de fracasos. Por necesidad pura. Pero ello ha sido motivado por el persistente error —tremendo error— de persistir en la senda de la globalización, cuando hace años ya ha comenzado a brindar amargos frutos de empobrecimiento general, desempleo y excesos empresariales y financieros de todo tipo.

Valdría la comparación con los muchos planes de estabilización en una variada gama de países. Durante un cierto tiempo ellos brindan éxitos económicos. Cuando se insistió en prolongar su existencia, sólo se logró caer en crisis económicas y sociales mucho más profundas que las que había antes de su implementación. Y era esperable. Ningún país —y mucho menos el mundo en su conjunto— funciona en un solo sentido todo el tiempo.

Si seguimos esta línea de pensamiento, es fácil comprender que más tarde o más temprano la elite ha perdido la partida. La ha perdido de antemano, paradójicamente por aplicar al exceso los mecanismos financieros aún imperantes en Wall Street. Es como si un malabarista, de tanto practicar sus trucos, y conocerlos cada vez mejor, decide incrementar cada vez más la cantidad de palotes que usa en su ejercicio. Y para peor, cada vez a mayor ritmo. El juego no puede durar para siempre. El riesgo es cada vez mayor, y llega un momento en que el juego no puede ser dominado por el malabarista, que se transforma de fácil dominante de su juego en esclavo de él. Algo por el estilo parece que ha comenzado a ocurrir hace ya algunos años. Sin embargo, sólo unos pocos analistas, en relación con el típico "coro" de voces que únicamente pronostican las crisis cuando ellas ya están ocurriendo, han percibido que la situación económica y financiera internacional se ha vuelto, silenciosamente, alarmante.

228

Si además introducimos el muy grave problema enérgetico que señalamos en la primera parte de esta obra, que explica el afán de invadir Irak contra viento y marea, y que se silencia habitualmente por temor a fuertes presiones sociales para acelerar cambios tecnológicos y acabar cuanto antes con los hidrocarburos fósiles (lo que significaría un muy rudo golpe al poder de la elite), resulta obvio que la crisis no sólo no parece ser evitable, sino que los tiempos pueden estar mucho más cercanos de lo que las transitorias bonanzas en los mercados pueden augurar.

Obviamente los cambios no se van a producir sin costos. Éstos hoy no pueden evaluarse. Sólo puede pensarse que muy probablemente serán superiores a los alguna vez vividos por las actuales generaciones. Puede que esto no guste, pero la alternativa sería nada menos que la profundización de la globalización a niveles tan displacenteros para las mayorías populares que...

De todas maneras, no hace falta pensar en ello. La probabilidad parece tan pequeña, que hasta puede que sea imposible. Claro que la consecuencia más lamentable de todo esto es cuántos miles, millones de personas quedan mientras tanto en el camino. A merced de la indigencia, la pobreza, el embrutecimiento y la muerte.

Puede resultar paradójico. Pero todo indica que la estocada mortal al poder de la elite la dará, en algún momento aún incierto del tiempo, el propio dios moderno creado por ella misma. Un dios hecho a medida de las grandes masas, pero en el que los propios integrantes de la elite descreen en su afán cada día más oligopolista. Como en Dr. Frankenstein, la elite ha contribuido a desarrollar al extremo un ser que se apresta a volverse en contra de su propio creador y merendárselo. Ese dios no es otro que el mercado. Quizá, ni Mary Shelley lo hubiera pensado mejor.

A propósito, a veces la propia realidad nos sorprende y parece proporcionar datos paradójicos o premonitorios. Por ejemplo, pocos parecen haber reparado en que si se recorre Wall Street, en el *downtown* Manhattan, en el mismo sentido del sol, o sea de este a oeste, finaliza en un muy extraño lugar; sobre todo resulta extraño por tratarse del centro financiero del mundo. Wall Street no termina en el agujero que dejaron las Torres Gemelas en su caída precipitada luego de que antes de las nueve de la mañana del 11 de septiembre de 2001 comenzara una de las peores tragedias para los más de dos mil operarios, ascensoristas, porteros, mozos, empleados de baja jerarquía y jefes intermedios que se hallan en sus puestos de trabajo a esa hora en Nueva York. Triste ironía, pero si Osama Bin Laden tuvo mucho o poco que ver con los atentados, no mató precisamente a altos ejecutivos ni millonarios como él, ni a dueños de empresas, que a la hora en que impactó el primer avión no suelen, casi nunca, estar trabajando en oficinas, sino a pobres asalariados. No, Wall Street no termina allí en ese agujero, aun cuando mucha gente suele responder eso, casi automáticamente, cuando se le pregunta.

Muchas veces ni los propios neoyorquinos en su apuro por caminar el centro financiero del mundo, en el que se hacen y deshacen fortunas en minutos, preocupados sólo por el dinero y el poder, reparan que Wall Street termina en el pequeño y lúgubre cementerio colonial de Saint Paul, al lado de una ruinosa, oscura y casi siempre cerrada o vacía iglesia. Allí, en ese cementerio muy anterior a la globalización y al mundo de las finanzas, bajo unas descuidadas y viejas lápidas cuyos nombres y fechas ya ni se leen, debido al paso del tiempo, yacen los únicos restos, las únicas "calaveras y huesos" que hoy descansan en paz en el *downtown* Manhattan.

WALTER GUSTAVO GRAZIANO
Buenos Aires, 24 de septiembre de 2003

230

Agradecimientos

Un libro es siempre la combinación de al menos dos factores claves: el esfuerzo del autor, y la inteligencia y rapidez de la casa editorial. En este caso, Sudamericana.

Es por ello que deseo agradecer en primer lugar a los directivos, miembros del staff y personal de la editorial que han elegido, permitido y agilizado la publicación de esta obra.

Este trabajo no hubiera sido posible sin una metodología de trabajo clara, precisa, inteligente y muy rápida. Agradezco por ello en primer lugar a Jorge Menéndez, sin cuya valiosa colaboración hubiera carecido de ella, por lo que la tarea me hubiera resultado mucho más larga, sinuosa y difícil. El tiempo y el esfuerzo que me ha ahorrado la posibilidad del acceso a una excelente metodología de trabajo me resultan invalorables.

Sin las sugerencias acerca del mundo editorial que me aportó Silvia Hopenhayn, me hubiera resultado muy dificultoso publicar esta obra en una excelente editorial y con suma rapidez. Por ello, mi gran agradecimiento.

El trabajo ágil, rápido, inteligente, de Paula Velázquez fue crucial para la muy veloz —casi contra reloj— elaboración del texto final de esta obra, una vez que la investigación de dos años había concluido su fase primordial. Muchas gracias, Paula.

En mi mismo "campo de batalla" han estado, colaborando conmigo codo a codo, Alicia Nieva y Romina Scheuschner. Es difícil explicar el grado de efectividad de su trabajo. Sobre todo cuando se trata de tomar contacto con información complicada, a veces muy angustiante, que suele operar como una descarga de cables eléctricos de alta tensión.

Muchísimas gracias también a Camila Casale, Julieta Galera, Luciana Cotton, Julia Hoppstock y Pamela Cavanagh, quienes aportaron muy valiosos datos, análisis e informaciones en todo el inicio de esta investigación. Su trabajo ha servido mucho para el desarrollo de toda la obra.

Finalmente, gracias "Tato". Aquel "raro dato aislado" que tenías, y que un día, hace un par de años, me comentaste, resultó ser correcto y abrió la pista y los caminos de algunos de los arduos temas en los que fue necesario meterse para entender lo que ocurre.

Índice

Composición de originales
G&A PUBLICIDAD / DIVISIÓN PUBLISHING

Esta edición de 10.000 ejemplares
se terminó de imprimir en
Artes Gráficas Piscis S.R.L.,
Junín 845, Buenos Aires,
en el mes de abril de 2004.